ET QUE ÇA SAUTE

(LE DERNIER TUNNEL)

ET QUE ÇA SAUTE !
(LE DERNIER TUNNEL)

MARCEL TALON
Tel que raconté à Jean-Louis Morgan

Catalogage avant publication de la Bibliothèque nationale du Canada

Talon, Marcel

Et que ça saute ! : le dernier tunnel

2e édition

Autobiographie.

ISBN 2-7604-0954-6

I. Talon, Marcel. 2. Vol (Droit) – Québec (Province) – Montréal – Histoire. 3. Voleurs – Québec (Province) – Biographies. I. Morgan, Jean-Louis, 1933- . II. Titre.

HV6653.T34A3 2004 364.15'52'092 C2004-940022-3

Couverture : Reproduction de l'affiche du film LE DERNIER TUNNEL
Produit par Bloom Films en collaboration avec Christal Films
Conception de l'affiche : CHRISTAL FILMS

Infographie et mise en pages : Luc Jacques

Les Éditions Alain Stanké remercient le ministère du Patrimoine canadien, le Conseil des Arts du Canada, la Société de développement des entreprises culturelles du Québec (SODEC) et le Programme de crédit d'impôt du Gouvernement du Québec du soutien accordé à son programme de publication.

Dépôt légal première édition : Bibliothèque nationale du Québec, 1996
Dépôt légal : Bibliothèque nationale du Québec, 2004
Les Éditions internationales Alain Stanké, 2004

Les Éditions internationales
Alain Stanké
7, chemin Bates
Outremont (Québec) H2V 4V7
Tél. : (514) 396-5151
Téléc. : (514) 396-0440
editions@stanke.com

Stanké international, Paris
Tél. : 01.40.26.33.60
Téléc. : 01.40.26.33.60

ISBN 2-7604-0551-6

Diffusion au Canada : Québec-Livres
Diffusion en Europe : Interforum

NOTE DU COAUTEUR

Le récit qui suit a été rédigé à partir d'interviews que m'a accordées M. Marcel Talon. Il s'appuie en outre sur les comptes rendus et documents judiciaires concernant les affaires évoquées ici, sur la documentation fournie par M. Marcel Laroche, chroniqueur judiciaire au quotidien *La Presse,* ainsi que sur les témoignages d'intervenants des milieux policiers, au courant des faits relatés ou y ayant joué un rôle.

Les opinions exprimées dans le texte reflètent celles du personnage central de ce récit et n'engagent que lui, mon rôle se limitant à lui prêter ma plume. Par ailleurs, les patronymes de certains des anciens compagnons de M. Talon ont été volontairement omis ou remplacés par des noms fictifs, afin de préserver l'anonymat de leurs proches.

JEAN-LOUIS MORGAN

EN GUISE DE CARTE DE VISITE

Je m'appelle Marcel Talon. Mon adresse ne vous regarde pas. Profession : technicien en électronique. C'est du moins ce que les représentants de la justice canadienne et québécoise ont inscrit dans mon dossier. J'ai un bon métier. Je peux réparer votre téléviseur, votre téléphone cellulaire et améliorer le fonctionnement de votre vieil ordinateur.

Je peux aussi, avec des pièces tout à fait anodines achetées chez n'importe quel fournisseur de quincaillerie électronique, comme Radio Shack, fabriquer de petits engins, malheureusement un peu bruyants, capables d'ouvrir la porte d'un camion blindé, de faire exploser une voiture ou de souffler tout un bâtiment. Je peux aussi brouiller les ondes des systèmes de sécurité, vous surveiller lorsque vous vous y attendez le moins ou encore détecter une filature.

Même si, comme de nombreux Québécois, je crois à l'indépendance de ma province, je ne suis pas pour autant un poseur de bombes pour des raisons politiques. Je dois avouer que j'ai été à un doigt de le faire à une certaine époque, mais il s'agit là d'une autre histoire.

Pour simplifier les choses, je dirais, en empruntant à la chanson de Richard Desjardins, que « je suis un bon gars ».

Oh! pas du style bulle de savon ou bon chic bon genre, pas du type soupirant timide (si j'en avais encore l'âge!) que les mères aimeraient présenter à leurs filles... Non, je suis plutôt ce qu'il est convenu d'appeler un mauvais garçon aux façons pas très catholiques, selon les paroles d'une célèbre chansonnette française des années trente. On m'a souvent fait remarquer que j'avais du cœur, et je pense que c'est vrai. Je n'en reste pas moins un repris de justice, un truand, comme on dit en France.

Les coups auxquels j'ai participé dans les années quatre-vingt-dix comptent parmi les plus importants à avoir été tentés dans les annales du crime. Mes associés et moi avons réussi à rafler quinze millions de dollars sans nous faire prendre et il s'en est fallu d'un cheveu que nous réalisions la plus extraordinaire symphonie souterraine et la plus belle prise d'otages de l'histoire: près de 200 millions en beaux billets à l'effigie de barbus américains ou encore de cette reine anglaise dont le nom revient régulièrement sur la paperasse de mes procès. Je ne suis pas royaliste, pas plus que puriste, toujours prêt à collectionner les portraits d'Élisabeth II, à condition qu'ils soient imprimés sur du papier de la Canadian Bank Note Co.

Les gens bien-pensants me qualifieront de bandit ou de gangster. C'est faux, si l'on considère que dans le mot bandit, il y a « bande », et que dans le mot gangster, il y a « gang », c'est-à-dire toujours « bande », mais en américain. Si j'ai fait appel à des associés pour accomplir mes coups (chacun sa spécialité), je n'ai jamais vraiment appartenu à un gang. Je suis trop individualiste. Le crime organisé? Bof! Plutôt l'arnaque organisée... mais à ma manière. J'aime mieux avoir un plus petit verre, mais être le seul à y boire. Quant au grand banditisme corporatif, aux différentes mafias, j'expliquerai plus loin ce que j'en pense.

C'est sans doute à cause de mon esprit d'indépendance qu'on a dit que j'étais un *loner,* une sorte de loup solitaire. Que voulez-vous, on ne se refait pas ! C'est sans doute aussi pour cette raison qu'on a voulu me liquider. Comme je ne devais rien à personne, j'ai décidé de collaborer avec la police, pour l'aider à élucider des affaires qui lui causaient des maux de tête. La presse spécialisée m'a traité de délateur, de *stool pigeon,* de donneur, de « balance ». Ça ne m'a pas fait trop de peine. Les types que j'ai balancés ne m'auraient pas fait de cadeau de toute façon et ne m'en feraient pas encore aujourd'hui.

J'ai maintenant une nouvelle identité. C'était une condition de l'entente conclue avec les autorités. Après avoir fait beaucoup d'argent et en avoir dépensé encore plus, je ne possède guère plus qu'un assisté social et, malgré ma compétence, je n'arrive pas à me trouver un emploi décent. La société n'oublie pas. Elle est parfois prête à engager un ex-taulard pour passer la vadrouille, mais elle estime qu'il y a suffisamment de gens qualifiés qui pointent au chômage pour n'avoir pas à se préoccuper d'un bonhomme avec un curriculum comme le mien.

Ne sortez pas vos mouchoirs ! Je ne cherche pas à me faire plaindre. Je souhaitais de l'action dans cette vie que je n'ai pas choisie et j'en ai eu plus que ma part. Lorsqu'on prend le chemin de la délinquance, il faut s'attendre à passer des années, voire des décennies, entre quatre murs et accepter de blanchir prématurément. Je ne cherche pas non plus à moraliser. En vérité, je suis assez mal placé pour jouer les prêcheurs. Je veux seulement exposer des faits. Il existe assez de spécialistes pour en dégager une interprétation morale ou sociologique.

Mon intention n'est pas de faire ici l'apologie du crime, ce qui serait moraliser à rebours. Des remords, j'en ai eu, et de très sincères, lorsque des innocents ont souffert à cause de moi. Cela n'est pas arrivé souvent, mais ce fut toujours de trop.

J'ai eu moins de scrupules à voler les établissements financiers. Autant je sympathise avec les pauvres gens et les contribuables moyens, saignés à blanc par le fisc et les banques, autant je n'ai aucune sympathie pour les tripoteurs d'argent à qui l'on permet – comme on l'a vu dernièrement chez nous – de soustraire des milliards au trésor public par des transferts aux États-Unis, aux Bahamas ou en Suisse sous le couvert de « fiducies familiales ». Ces gens se livrent à une forme de grand banditisme d'une nature particulière : celui qui est accepté, sanctionné, par les gouvernements et qui se promène dans des limousines blindées, comme les mafieux que j'ai bien connus.

La légale Cosa Nostra des agioteurs, *raiders* et chevaliers d'industrie est autrement puissante que celle que nous connaissons par le biais de la télé et des journaux, car elle influe sur la vie quotidienne de l'ensemble de la population en monopolisant les biens et les services, en réalisant des profits abusifs, en profitant de la main-d'œuvre à bon marché qui abonde dans les pays du tiers-monde, en créant chez nous du chômage. Enfin, ces trop bien nantis, d'une absolue discrétion et soi-disant respectables, consolident leur pouvoir en achetant le dévouement d'une majorité de politiciens. Si j'ai volé certains de ces truands à la réputation surfaite, je n'en éprouve aucun repentir.

Qu'on ne voie pas dans ces propos une forme de gauchisme retardataire, juste un ras-le-bol tel que l'expriment une majorité de citoyens et de doctes professeurs, que j'ai eu l'occasion de rencontrer lorsque je donnais des conférences à l'Université de Montréal. Comme quoi un ex-détenu peut être un homme comme un autre et être conscient des aberrations de notre société.

Un vieux curé m'a raconté qu'en confession, pour gagner du temps, certains de ses paroissiens lui disaient : « Mon père, je n'ai ni volé, ni tué, ni mis le feu. Tout le reste, je l'ai à peu près fait... » Pour ces braves gens, le « reste » consistait sans doute en manquements à la religion, en embrouilles entre voisins et en affaires de fesses. Si je devais faire une confession générale, je pourrais dire: « J'ai tué, j'ai volé, j'ai mis le feu (avec des explosifs). Quant au reste, je n'ai pas la prétention d'avoir tout fait. » D'abord parce que j'étais trop occupé et que, malgré tout ce que l'on peut penser, il y a des saloperies que les vrais hommes ne font jamais. D'ailleurs, dans ce milieu auquel je n'ai jamais vraiment appartenu, j'étais reconnu pour posséder ce qu'on appelle « une belle mentalité ». Je n'ai trahi que ceux qui m'ont trahi, qui m'ont « crossé ». Mes anciens complices ont joué avec de la dynamite, mais la mèche était trop courte. Ils avaient dû oublier que c'était ma spécialité...

MES COLLÈGES ET MES UNIVERSITÉS

Mon existence a failli être sans histoire. Je suis né en 1940, d'un père militaire et d'une mère d'origine bourgeoise, le quatrième enfant d'une famille de huit. À l'époque, la « revanche des berceaux » allait bon train au Québec.

Mon père a combattu au cours de la Seconde Guerre mondiale et, comme beaucoup de ses semblables, il en est revenu un peu sonné. Il était sévère et, dans son optique militaire, il se considérait comme juste. Sa conception de la justice – ou de l'autorité ? – lui permettait de corriger allègrement ses enfants à coups de ceinturon ou d'autres objets qui lui tombaient sous la main. J'en porte encore les cicatrices. Ce qui l'irritait le plus, c'étaient les plaintes des voisins. Lorsqu'ils se plaignaient, nous en prenions pour notre grade. Il faut ajouter que je raffolais des coups de cochon...

Ma mère était une Beauchesne, fille d'un homme qui, dans les années vingt, construisit les usines Angus, dans l'est de Montréal, où l'on fabriquait, entre autres, des locomotives. Il avait également construit de nombreux immeubles à Sherbrooke et, au sommet de sa gloire, employait quelque 400 hommes sur ses chantiers. Cet entrepreneur, qui avait pris une sacrée claque à la suite du krach de 1929, demeurait quand même conscient de son rang. Lorsque ma mère était tombée amoureuse de mon père, les Beauchesne avaient jugé qu'il s'agissait là d'une mésalliance et l'avaient en quelque sorte rejetée. Il n'était pas question que leur fille épouse un traîne-fusil.

Maman persista et fit sa vie. Contrairement à mon père, elle était assez permissive. C'était sans doute sa façon de blâmer l'attitude de sa famille. Lorsque je fais le bilan, hormis les volées que m'administrait mon père – et avec raison –, je ne peux pas dire que j'ai eu une enfance malheureuse, comme la plupart des délinquants qui n'ont connu dans leur jeunesse que les grilles d'égout pour se redresser les dents et qui allaient à l'école les pieds nus dans des espadrilles trouées par moins trente. N'empêche qu'il a dû y avoir chez nous quelque chose qui allait de travers, puisque tous mes frères et toutes mes sœurs ont eu, un jour ou l'autre, maille à partir avec la justice, parfois pour des peccadilles, parfois pour des infractions plus sérieuses.

«Je t'absous... mais je te dénonce!»

Dans ce contexte, j'aurais quand même pu devenir un honnête petit citoyen si je ne m'étais pas fait choper, à 10 ans, pour un larcin qui ferait sourire les travailleurs sociaux d'aujourd'hui. J'avais volé des babioles destinées à servir de prix de présence au bingo paroissial – des transistors et des montres bon marché. J'aurais aussi bien pu voler du vin de messe ou des retailles d'hosties, comme bon nombre d'enfants de chœur.

Cette gaminerie décida de toute mon existence et constitua pour moi une première et immense déception par rapport au monde des adultes. J'appris brutalement que je ne pouvais plus me fier à personne. Le bon curé me déclara qu'il me pardonnait, mais ne m'en dénonça pas moins à la police avec, comme résultat, qu'on me condamna à passer deux ans au Mont-Saint-Antoine, une sinistre maison de redressement où des frères frustrés se défoulaient sur les pensionnaires.

La discipline était arbitraire et les châtiments, de type corporel; mais si les frères pensaient me mettre au pas de cette manière, ils se fourraient le doigt dans l'œil. Au bout d'un mois, je m'évadais. Je fus repris et battu comme plâtre. Une pratique populaire parmi les zigotos de mon espèce était de nous enduire les mains d'arcanson, ce qui augmentait la douleur, et de faire des concours d'endurance en demandant au frère exécuteur des basses œuvres de frapper plus fort. Cela devint un véritable sport. M'évader aussi d'ailleurs. Tellement que j'ai arrêté de compter mes évasions du Mont.

Un jour, pour donner un exemple, on me fouetta publiquement, devant une centaine de codétenus, à coups de cuir à rasoir. Cinq minutes plus tard, j'avais pris la clé des champs. Je faisais mes escapades en solitaire, une particularité qui dénotait déjà un caractère assez peu grégaire. Comme je l'ai déjà dit, pour accomplir mes mauvais coups, je n'avais guère l'esprit de clan.

La prison commune pour un ado turbulent

Ces fugues à répétition ne tardèrent pas à taper sur le système aux autorités de ce qu'on appelait à l'époque la Protection de l'enfance. Puisque les coups ne suffisaient pas, on me traduisit devant un tribunal qui me condamna à un peu moins d'un mois à la « prison commune », avec des criminels endurcis. Durant les quelque 26 jours que j'ai vécu dans cet enfer, j'ai dû vieillir de 20 ans. En effet, à peine avais-je mis les pieds en ces murs que je servais furieusement d'objet sexuel à tous les obsédés et à tous les frustrés qui se trouvaient là. Je devins ce qu'on appelle en langage carcéral un serin, un giron. Je n'avais pas 15 ans...

Décrire l'humiliation qu'un gamin normalement constitué peut ressentir à se faire exploiter de manière aussi ignoble est à peu près impossible. Seuls les enfants harcelés sexuellement dans leur famille ou ailleurs le savent. Le peu d'enfance qui me restait s'envola à jamais. Je maudissais et maudis encore le juge responsable de cette incarcération. Aujourd'hui, j'en veux toujours à ce salaud qui, me dit-on, est mort. J'ai pardonné à plusieurs magistrats, qui ne faisaient que leur métier, mais pas à cette ordure. Si jamais j'apprends où il est enterré, je me ferai un point d'honneur d'aller cracher sur sa tombe, et pire peut-être. J'ai rencontré bien des fumiers dans le milieu, mais leurs forfaits me semblent anodins à côté de celui qui consiste à livrer un enfant à des fauves en rut au nom de l'amélioration de la société et de la moralité publique.

J'ai pourtant survécu et en suis sorti écœuré, en me sentant dégueulasse. C'est ainsi qu'à 14 ans j'ai décidé qu'il était inutile de rentrer à la maison et me suis installé seul à Montréal. Je louais des chambres et, pour subsister, j'avais recours à toutes sortes de combines classiques. Par exemple, je passais des commandes d'épicerie bidon et, pendant que le livreur cherchait la bonne adresse dans les escaliers des immeubles, je lui fauchais les victuailles ou les bouteilles de bière dans la caisse de son triporteur.

Puis, je suis allé vivre chez mon père, qui demeurait temporairement à Detroit, au Michigan. Il lui était possible de résider aux États-Unis, car, même s'il avait servi sous l'Union Jack canadien pendant la guerre, il était citoyen américain (curieusement, il ne se fera naturaliser Canadien qu'en 1973). De retour au Québec, je fus bientôt arrêté pour avoir « emprunté » une Studebaker à nez de requin qui traînait dans l'entrée d'une ferme, les clés au tableau de bord.

Lion debout et lion couché

Cette fois, on ne fit pas de détail. Je comparus devant ce qu'on appelait la « grande cour » qui, le 30 avril 1958, me condamna à deux ans de pénitencier, c'est-à-dire à l'école du crime. Je fus incarcéré à Saint-Vincent-de-Paul. On me colla un uniforme brun caca avec des numéros partout et on me posa des chaînes aux pieds. La cour de ce *Hilton* était ornée de deux statues un peu cucul représentant un lion debout et un lion allongé. Le gardien-chef ne tarda pas à nous mettre à l'aise :

– Vous voyez ça ? Lorsque vous arrivez ici, vous êtes comme ce lion qui regarde les gens avec insolence. En sortant d'ici, vous serez comme ce lion allongé, « écrapouti » par terre...

Je trouvai l'allégorie amusante, mais ne fus aucunement impressionné. J'avais décidé de demeurer debout, de continuer à regarder les gens, même avec insolence. J'étais conscient de mes actes et ne tardai pas à constater la corruption du système. Je n'admettais pas d'avoir été enfermé avec des criminels d'habitude pour un malheureux vol de bagnole, alors que les *king pins,* les caïds de la pègre, faisaient si peur aux gardiens que ceux-ci en attrapaient le va-vite.

Les détenus ordinaires devaient garder trois pieds de distance entre eux et les gardiens lorsqu'ils leur parlaient. Les autres, les gros bonnets, les arrosaient de petits cadeaux, si bien qu'en retour les gardiens leur donnaient du « monsieur » ou les appelaient parfois par leur prénom.

C'est ainsi qu'entre 1958 et 1960, à Saint-Vincent-de-Paul, on pouvait se frotter à des huiles comme Pep Cotroni, de la famille du présumé parrain local, que les journalistes appelaient par euphémisme « l'homme d'affaires montréalais bien connu ». Y logeaient aussi Roy Culligan, auteur d'un meurtre au respecté restaurant *Le Lutin qui bouffe,* qui fut commenté longtemps dans les chaumières, et Jean-Guy Dubois, de la famille des durs à cuire qui contrôlait Saint-Henri.

Certains *punks,* des demi-sels dans mon genre, tiraient gloire de cette cohabitation et auraient commis les pires bassesses pour se faire accepter dans le cénacle des grands. Pas moi. J'ai rapidement détesté les gens du crime organisé pour une raison bien simple : ils abusaient de la faiblesse et régnaient par la terreur. Ils agissaient selon les principes qui avaient assuré le succès de la mafia. On sait comment les membres de celle-ci avaient commencé, au siècle dernier, par terroriser les péquenots siciliens illettrés, avaient continué avec leurs compatriotes immigrants sur notre continent, puis s'étaient immiscés dans toutes les sphères de notre société. Bref, dans ce *pen* comme à la prison commune de mes 14 ans, je demeurais le petit con exploité, poursuivi par la concupiscence des plus vieux.

Un faible pour les voitures

Paddy Gaumont, un vieux truand à principes, un perceur de coffres-forts à la mentalité impeccable, me prit un jour à part.

– Le jeune, me dit-il, apprends à te faire respecter ou alors tu resteras un serin toute ta vie...

Je suivis son conseil : plus personne ne me toucherait jamais. Un certain Peanut me harcelait pour que je devienne son giron. Comme j'avais pris du poids et de la détermination, je l'ai simplement démoli lorsqu'il a insisté. Pour se venger, il a mobilisé six types qui se promettaient courageusement de me faire ma fête dans les estrades du stade. Après avoir eu vent du complot, j'ai réglé le sort de ces courageux gladiateurs à coups de batte de baseball. On m'a foutu par la suite une paix royale ! *Exit* les terreurs.

Oui, la prison avait fait de moi un truand reconnu comme tel. Pas bien méchant, remarquez. Lorsque je consulte mon C.V., pardon, mon casier judiciaire, je relève, après Saint-Hyacinthe, que, pendant sept ans, j'entrai en taule et en sortis, avec la régularité d'un métronome. Naturellement doué pour la technique, je m'adonnais surtout, on peut le remarquer, au vol de voiture, une spécialité qui m'est encore utile quand j'égare les clés de mon auto. Le but de l'exercice était d'approvisionner certains casseurs de bagnoles et ferrailleurs marrons en pièces de rechange acquises à vil prix et revendues au cours du marché. On peut remarquer aussi une petite évasion du pénitencier de Saint-Vincent-de-Paul en 1963. Je m'étais déguisé en gardien après avoir trouvé un uniforme et exploré la *boiler room,* ou chaufferie, de notre lieu de villégiature. J'avais pour compagnon de cavale Jean-Paul Charbonneau, un braqueur de première catégorie. Deux mois plus tard, j'étais repris.

Mon C.V.

29 août 1960	Vol d'auto	
	(2 chefs d'accusation)	Sentence suspendue
28 septembre 1960	Vol d'auto (4 chefs)	
	« Possession d'instruments »	2 ans, concurremment
	Vol d'auto (3 chefs)	
3 octobre 1960	Vol d'auto (7 chefs)	
	Vol d'auto (2 chefs)	1 an, consécutivement
26 octobre 1960	Vol d'auto	
	Tentative de vol d'auto	1 an, concurremment
9 mai 1961	Vol d'auto (2 chefs)	
	Possession de biens volés	1 an, consécutivement
	(2 chefs)	
22 octobre 1963	Évasion	1 an
	Vol d'auto	1 an, consécutivement
7 novembre 1963	Tentative d'effraction	
	Voie de fait	
	Vol d'auto	6 mois
	Possession de biens volés	
	Vol	
30 juin 1965	Vol (2 chefs)	
	Vol d'auto	
	Recel	
	Vol par effraction	23 mois
	Possession d'arme	
	Vol d'auto (7 chefs)	

Un plein chargeur pour la pédale

Cette vie de malfaiteur marginal aurait pu durer longtemps si le ciel ne m'était pas tombé sur la tête le 7 mai

1968; ce jour-là, je fus condamné à la prison à perpétuité pour tentative de meurtre. Voici les faits: alors que j'étais tranquillement attablé à la taverne Le Plateau, un homosexuel notoire, « Pompa » Leblanc, accompagné par quatre ou cinq de ses semblables, commença à m'insulter et à me chercher des poux dans la tête. À cette époque, en taule, les prisonniers les plus *straigth* avaient parfois des relations homosexuelles, mais il ne s'agissait là que d'un palliatif qu'ils s'empressaient d'oublier en sortant de prison. Or, dans le milieu, on se montrait implacable envers les gais et les pédophiles. On tolérait ces gens dans les bars chauds, à titre d'artistes ou de travestis, mais, pédés « cuirette » ou pas, ils devaient s'effacer devant les hommes. Me faire insulter par des « feufis » m'avait mis dans une rage folle. Je suis sorti et me suis rendu à la maison prendre mon arme. De retour à la taverne, j'ai vidé le chargeur sur « Pompa », qui a encaissé quatre balles dans le buffet et deux dans la tête.

Je ne me suis laissé aller à un tel déchaînement de la violence qu'en de rares circonstances, et celle-là en fut une. Il faut dire que j'en avais attrapé le virus au cours de mes nombreuses incarcérations. Au poste numéro 4, un certain constable Fontaine s'était cru malin en me battant à coups de batte de baseball. Je lui avais arrangé le portrait. Quelque chose de rare. Le plus drôle, c'est que la police se sentait suffisamment foireuse pour que cet incident ne figure pas dans mon casier. Dans les prisons, battre les détenus était chose courante, un vrai mal souterrain. Aussi ne fallait-il pas s'étonner de ce qu'à notre sortie nous nous comportions comme des animaux enragés. Mais revenons à mon affaire. Alors que j'aurais pu théoriquement m'en tirer avec une caution en plaidant la légitime défense ou le geste non planifié, j'étais condamné à perpète.

Il faut préciser que, pour aggraver mon cas, j'avais dit ma façon de penser au juge. Je n'ai jamais toléré que les magistrats jouent aux « smattes », aux petits délurés, à mes dépens. Les malins qui font de l'esprit – des effets de toge – et qui tentent de faire rigoler la galerie aux frais de l'accusé, qui tentent de l'abaisser en le considérant comme un débile, frappent avec moi un nœud... et assez dur. À ce propos, j'ai déjà apostrophé un juge dans les couloirs du palais de justice et l'ai gentiment prévenu. Il s'est calmé et ça valait mieux pour lui. Il ne s'agissait ni de dépit ni de vantardise, mais de froide détermination, et il le savait. Un délinquant dans mon genre peut accepter de tout perdre, sauf sa fierté. Il peut aussi, à la rigueur, se résigner à l'emprisonnement. Ce sont les risques du métier. Mais il n'acceptera jamais d'être traité avec mépris, car les juges, hommes et femmes, on en a eu des exemples dernièrement, n'ont pas tous de leçons d'intelligence ou de bon sens à donner à qui que ce soit, sauf dans les dictatures.

Mon Dieu, protégez-moi de mes amis...

Qu'on me pardonne cette digression. Donc, me voilà « en dedans », et pour longtemps, simplement pour avoir envoyé de la ferraille dans un « feufi » à grande gueule. En fait, dans cette affaire, j'avais été doublé, compromis sur la base de preuves bidon. Mes soi-disant copains du milieu, pour bien se faire voir des autorités, s'étaient parjurés et m'avaient tout mis sur le dos. Un peu plus et « Pompa » Leblanc était décoré de la croix de Saint-Louis, lui un innocent consommateur aux paroles mesurées agressé par l'horrible psychopathe que j'étais ! Un certain Paul-Émile Latraverse m'a prétendument « identifié ». Curieuse identification puisqu'il ne s'est même pas présenté à mon procès ! Je crois d'ailleurs que s'il s'était montré le nez en cour, il aurait eu du mal à me reconnaître ! Je ne sais trop quelle entente il avait conclue avec les flics, mais j'en faisais les frais. Curieusement, je ne lui en tiens pas rigueur. Il n'était après tout qu'une victime et même si, plus tard, j'eus l'occasion de remettre les pendules à l'heure avec lui en toute franchise, je me gardais de toute vengeance.

Même si je suis très individualiste, je n'ai jamais été un « anti » quoi que ce soit pur et dur, qu'il s'agisse des flics, des politicards ou du monde interlope, mais je crois que c'est dans ces années-là que j'ai commencé à détester le milieu, non seulement parce que celui-ci m'avait laissé tomber, mais encore parce que certains de ses membres s'étaient parjurés dans le but de m'expédier à l'ombre pour de longues années. Bref, le romantisme que trop de braves gens associent au monde des truands en prenait un sacré coup.

Des années plus tard, j'ai revu « Pompa » Leblanc. Il avait, je ne sais trop comment, survécu à ses blessures, peut-être parce que je n'étais pas un tueur professionnel, seulement un gars en « tabarnak ». Je me suis excusé en lui expliquant que c'étaient des types dans son genre qui m'avaient fait le plus de mal dans la vie, à mes débuts dans le monde carcéral. Comme il n'était pas non plus un ange, je crois qu'il a compris. Malgré cet incident lourd de conséquences, comme on le verra plus loin, je n'étais pas un psychopathe à la manière de Jacques Mesrine ou de Richard « Le Chat » Blass, l'homme du massacre du *Gargantua*[1], que j'ai très bien connu alors qu'il était encore gamin.

Je ne possédais pas ce que Mesrine appelait « l'instinct de mort », dont il était si fier et qui lui a permis d'écrire un livre portant ce titre. Bien sûr, j'ai fréquenté en taule cet écumeur de banques international, qui a tellement ridiculisé les autorités françaises que celles-ci ne le lui ont pas pardonné. On sait comment elles l'ont attiré dans un guet-apens et carrément assassiné, et sans lui laisser aucune chance. Il leur flanque encore la trouille puisque, par ordre d'un tribunal, on a bloqué en France toute publication de ses écrits inédits. Mesrine, dont l'intelligence était indéniable, aurait fait un

1. Je parle de l'incendie du bar Gargantua, situé au 1369, rue Beaubien Est, à Montréal, survenu dans la nuit du mardi 21 janvier 1975, où 13 personnes, dont de simples clients, furent enfermés dans la chambre froide et moururent asphyxiées. Richard Blass et Fernand Beaudet furent accusés des 13 meurtres.

truand assez sympathique s'il s'était gardé de massacrer de malheureux gardes-chasse québécois. S'il avait été un peu moins chatouilleux de la détente, comme nous disions, peut-être prendrions-nous aujourd'hui un verre ensemble, tout en discutant du bon vieux temps.

Depuis l'affaire de la taverne Le Plateau, je me suis bien calmé, et si je refuse encore de jouer à la rectitude politique « branchée » en me faisant l'apologiste des invertis, je dois dire que je suis devenu moins catégorique en ce qui concerne les homosexuels.

Le révolté

Nourri et logé aux frais de la société, je ne marchais pas plus avec le milieu qu'avec le système. Je ne consentais pas au jeu. Je me demandais d'ailleurs comment les gens pouvaient être aussi putasses au judiciaire comme au carcéral. Les gardiens détestaient leur job et répandaient leurs frustrations sur les prisonniers pour conserver leur once de pouvoir. C'est ainsi que, au cours d'une émeute, une balle de .303 me déchira le cuir chevelu. Une saloperie de gardien avait essayé de faire un carton sur moi parce que j'avais profité de l'occasion pour voler une boisson gazeuse à la cantine. Quelques microns de plus et je crevais pour un malheureux Coke. Un sillon dans le crâne me le rappelle.

Cette soif de pouvoir, qui fait régner la terreur, déborde largement le cadre pénitentiaire. À l'heure actuelle, les requins de la haute finance et les bien nantis agissent de la même manière avec les gagne-petit en rêvant à un retour au capitalisme sauvage des XVIIe et XIXe siècles ; ils exigent toujours plus de productivité et exploitent à vil prix la force de travail des pays du tiers-monde. Si quelqu'un ose élever la voix, on menace de lui ôter le pain de la bouche. S'il persiste, il rejoint les rangs de plus en plus importants des chômeurs et assistés sociaux qui, à la longue, grèvent l'économie du pays. Les gouvernements inventent de nouveaux moyens pour surtaxer la population, et c'est le cercle vicieux. Si les gens sont prêts à descendre dans la rue pour un joueur de hockey, ils se retiennent toutefois de protester quand il s'agit de causes valables, par crainte de la police, par crainte de perdre leurs jobs, de plus en plus précaires.

J'ai toujours été surpris de voir combien le grand crime organisé – que je n'aime guère, je l'ai déjà dit – était à l'image de notre bonne société. Il a sa police, son escouade d'intervention, ses juges, ses bourreaux. Il emploie le même langage que les politiciens, le *double talk,* la langue de bois et la langue de coton. Une grande différence existe toutefois : si nos politiques affirment sans cesse être « dans le rouge », déficitaires, ce n'est pas le cas du crime organisé !

Je n'ai jamais voulu m'acoquiner avec ces gens, même si je respectais certains d'entre eux, qui étaient corrects, « réguliers ». Un jour, un leader de la bande de motards Devil's Disciples me demanda de me joindre à eux. Je lui expliquai ma conception individualiste du truand solitaire qui vit et laisse vivre et qui ne recherche pas le pouvoir pour lui-même.

– Si j'étais dans votre organisation, lui ai-je dit, et que l'un d'entre vous me fasse des « crosses » ou m'emmerde, je ne me gênerais pas pour lui faire la peau au risque de la mienne. La solidarité du clan, les insignes, les petits drapeaux, j'en ai rien à foutre. Alors, restons bons amis...

Il n'a pas insisté.

En 1969, avec des types du Front de libération du Québec, dont le Belge François Schirm, condamné pour avoir abattu le directeur de la compagnie International Firearms au cours d'une tentative de vol à main armée[2], et Georges Marcotte,

---

2. La fusillade eut lieu le 29 août 1964, au 1011, rue Bleury, à Montréal, et fit une victime : M. Leslie D. MacWilliams, 56 ans, qui avait surgi de son atelier en tenant à la main l'arme qu'il réparait. Se croyant attaqué, Schirm, 32 ans, qui se disait maquisard d'expérience, entraîné en Algérie, en Indochine et à Cuba, avait tiré. Quatre autres personnes furent accusées du meurtre : Gilles Brunet, 28 ans ; Marcel Tardif, 22 ans ; Cyriaque Délisle, 26 ans, et Edmond Guénette, 20 ans.

dit le Père Noël[3], j'ai décidé de m'évader. Nous possédions de fausses clés, ce qui nous permettait de nous rendre dans les souterrains de la prison, d'où nous avions l'intention de filer par les égouts. L'expérience acquise lors de mon évasion de 1963 et ma connaissance de la chaufferie se révélaient utiles. Je me suis fait pincer, et on m'a balancé pour deux ans à l'unité spéciale de correction à Laval, à côté du centre de détention Leclerc.

Une réclusion instructive

Dans ce trou, on fabriquait des psychopathes à la chaîne. Des passerelles, parcourues par des gardiens, surplombaient les cellules, dont le plafond était en plexiglas. Il n'y avait donc pas moyen de s'isoler. Ceux qui ont vu le film *Papillon* (ou qui ont lu le livre d'Henri Charrière) se souviennent sans doute de la Réclusion du bagne de Cayenne, un bâtiment comprenant de semblables passerelles au-dessus des toits grillagés des cellules, où les prisonniers vivaient dans un silence sépulcral. Les temps ayant changé, je n'en étais pas réduit à manger des insectes et à ne rien faire. Je pouvais lire, ce qui était une grande consolation dans cette solitude. Après six mois, on me fit passer devant un *board,* un comité de révision de peine. Il me suffisait de jouer le jeu, de faire le mauvais sujet repenti et de demander à sortir du trou. Par fierté, je m'en suis abstenu.

J'en ai profité pour lire: des biographies, des manuels d'histoire, des livres de religion. Jusqu'à ce jour, j'avais rejeté toute forme de culture, et particulièrement la religion. Pour

3. Georges « le Père Noël » Marcotte et ses complices, Jean-Paul Fournel, dit « le Professeur », et Jules Reeves, commirent un hold-up le 14 décembre 1962 à la Banque impériale de commerce, au 6007, Côte-de-Liesse, à Saint-Laurent, pour un butin de 126 000$. Deux policiers furent tués, et Marcotte fut condamné à être pendu le 31 mai 1963. À la suite d'un procès retentissant, il échappa à la corde. Reeves, qui avait été jugé inapte à subir son procès, mourut d'une crise cardiaque alors qu'il purgeait sa peine dans un institut psychiatrique. On ne sait pas ce qu'est devenu Fournel.

moi, cette dernière n'était qu'un opium distribué au peuple par des profiteurs abusant de la naïveté de leurs ouailles (je n'avais pas digéré la traîtrise du curé responsable de mon incarcération au Mont-Saint-Antoine et, indirectement, à la prison commune). Plus je lisais et plus je nuançais mes jugements. Je considérais d'un nouvel œil les citoyens *straight*, que, dans le milieu, on appelle des caves, les prêtres, les policiers, les juges et même les politiciens.

Tout comme dans le monde de la délinquance, dans celui des citoyens et citoyennes ordinaires rien n'était tout noir ou tout blanc. C'est en lisant que je compris combien l'individu moyen pouvait se trouver accablé de soucis, écrasé par le grand capital, les charges fiscales, et combien il pouvait se rebeller, lui aussi, contre les gros exploiteurs qui le méprisent et le tondent avec une tout autre efficacité que le minable voleur qui lui subtilise son téléviseur acheté à crédit.

Je saisissais à quel point la vie de flic pouvait être frustrante, et les affaires passionnantes, relativement rares. Celui qu'on appelle le « beu », le « coche » (pour cochon) ou le « chien » en argot québécois ne voit à longueur de journée (et de nuit) que la face hideuse de l'humanité : la violence contre les femmes et les enfants, la violence gratuite et vicieuse des petits délinquants, l'univers de la prostitution, de la drogue, des criminels psychiatriques... Quant au grand public, moins il a affaire aux flics, mieux il se porte. L'image qu'il en a est rarement positive puisque la présence de ces individus signifie généralement contraventions ou comparutions en cour. Il n'y a qu'à considérer le taux de divorce chez les policiers pour comprendre qu'ils sont loin de la sérénité, de la paix morale, qui caractérise les héros de roman.

Et puis il y avait les personnalités politiques. Si un grand nombre d'entre elles sont corrompues et semblent programmées pour tirer à elles la couverture, je m'aperçus que, là encore, on ne pouvait généraliser. Certaines consacrent leur vie au service de leurs concitoyens et vont jusqu'à crever à la tâche. Une forme de vice ? Peut-être, mais qu'importe si cela contribue au bien public. Bien que plusieurs de ces personnages ne soient que des fripouilles et des opportunistes, il en reste qui croient à ce qu'ils font et qui auraient pu s'enrichir dans le secteur privé au lieu de se faire engueuler dans les réunions publiques par le premier pue-la-sueur venu. Entre le vieux Rockefeller, qui faisait marcher les Noirs à la trique, et le père du président Kennedy, qui ne se serait jamais sali les mains dans des affaires de *bootlegging,* mais qui regardait avec distinction le menu fretin de la pègre se massacrer à la mitraillette pour des camions de whisky de contrebande, il n'y avait pas de quoi être fier. Je pouvais cependant constater que les descendants de ces personnages, sans avoir le comportement irréprochable que leur prêtaient les médias, n'en avaient pas moins réalisé des choses valables. Bref, la prison me permettait de rattraper une éducation à laquelle elle m'avait si longtemps soustrait.

Les felquistes et le mountie *malchanceux*

En 1971, je purgeais toujours ma peine, à Cowansville cette fois, où je rencontrai des prisonniers politiques felquistes de la Crise d'octobre 1970 : Pierre-Paul Geoffroy, Paul Rose, Denis Lamoureux. Je me suis lentement politisé et j'ai commencé à envisager l'avenir de façon différente. Je compris que les politiciens, qu'ils évoluent au palier provincial ou au palier municipal, étaient eux-mêmes victimes du sacro-saint système. Il m'apparut qu'ils étaient élus pour protéger non pas le pauvre monde, mais les privilégiés. Je pense que j'étais dans le fond plus anarchiste qu'autre chose.

La police locale et la Sûreté du Québec avaient été intoxiquées par la Gendarmerie royale du Canada, cette fameuse « Police montée », qui, on l'a su plus tard, avait ses agents provocateurs. C'est ainsi que j'ai connu Robert Samson, un ex-*mountie,* qui en avait pris pour 10 ans pour avoir « planté » des explosifs afin de compromettre des mouvements de gauche. On se rappellera aussi ces policiers fédéraux (les felquistes disaient « fédérastes ») qui mettaient maladroitement le feu à des granges où des chevelus pas bien dangereux tenaient des réunions à saveur indépendantiste...

Le technico

Longue incarcération que cette sentence pour tentative de meurtre. Ça n'en finissait plus. Pendant ce temps, je me frottais à toutes sortes d'individus, « encabanés » pour toutes sortes de raisons. Dans les années soixante, à Saint-Vincent-de-Paul, un vieux démineur m'avait enseigné les rudiments des engins explosifs. Plus tard, j'ai suivi des cours d'électronique par correspondance à l'institut Teccart et me suis spécialisé dans la radio-télévision et dans les installations industrielles, particulièrement les systèmes d'alarme. J'ai pris goût aux mathématiques et aux montages compliqués ; j'étais, paraît-il, un élève doué, recherchant toujours des solutions originales non prévues dans les manuels scolaires.

Ces connaissances techniques, destinées à me permettre de gagner honnêtement ma vie à ma sortie de prison, devinrent une arme à double tranchant. Grâce à elles, je pus me faire un nom et, d'une certaine manière, me protéger. Comme je l'ai déjà mentionné, j'ai eu l'occasion de côtoyer des membres de la Cosa Nostra locale. Ces types n'avaient qu'à claquer des doigts pour voir de petits criminels dans mon genre se mettre au garde-à-vous et se placer à leur service. Ils pouvaient aller se faire « empapaouter » chez les Grecs. Avec moi, ils misaient à côté.

Je n'ai jamais craint la mafia. J'avais pour principe de travailler seul, de vivre et de laisser vivre. Plus tard, alors que nous étions tous libres dans la nature, j'ai reçu des menaces à peine voilées de types faisant partie de la Cosa Nostra, à qui j'avais servi un avertissement solennel :

– Écoutez, les gars, leur avais-je dit. Je vous ai fait filer. J'ai vos adresses, celles de bien d'autres *king pins* de votre gang, celles des êtres qui vous sont chers. Vous comprendrez qu'un gars comme moi doit prendre des précautions. Vous m'y avez forcé. Si jamais vous aviez l'idée farfelue de toucher ne serait-ce qu'un seul cheveu d'un membre de ma famille ou d'un ami, il y aura de sales surprises pour vous... N'oubliez pas qu'un type seul est beaucoup plus imprévisible et beaucoup plus dangereux qu'une équipe d'hommes qui s'agitent et jacassent un peu trop à droite et à gauche. Le gars solitaire est un chasseur. Vous vous prenez peut-être pour de grands prédateurs, mais vous pourriez tout aussi bien devenir les proies. Je connais vos matricules et ceux des vôtres. Je ne vous ai rien fait. Je ne vous gêne pas. Alors, foutez-moi la paix et oubliez-moi...

Ils n'ont pas affiché cette mise en garde dans leur bureau, mais ils l'ont certainement enregistrée. Une chose est certaine : ils avaient d'autres soucis, mieux à faire que de s'occuper d'un *loner* qu'ils savaient être une charge explosive ambulante.

FUSILLADES, DYNAMITAGES, VOLS ET ARNAQUES : LA VIE DANS LA VOIE RAPIDE

En 1978, je pus enfin bénéficier d'une libération conditionnelle. J'avais fait 10 ans fermes en cabane, et l'action me manquait un peu. Tout de même, je ne m'attendais pas à étrenner ma liberté toute neuve par un meurtre, un acte gratuit qui, je l'ai souvent dit, est celui qui pèse le plus sur ma conscience. Il s'agissait d'un renvoi d'ascenseur à un ami et non de l'un de ces contrats qui ne vous collent pas d'état d'âme particulier. Autre détail : je ne touchais pas un sou noir pour ce forfait. Si j'en croyais mon copain – et je n'avais aucune raison de douter de sa parole –, un certain individu s'était approprié 65 000 $ lui appartenant. Le malfaisant avait également fait du tort à d'autres gars cool de ses relations, ce qu'on appelle dans le milieu montréalais des *burns,* des traîtrises. Une histoire de partage inéquitable et de poudre blanche détournée, ou quelque chose dans ce style.

J'ai longtemps caché ce crime pour lequel je n'ai jamais subi de procès. Je l'avais enfoui dans ma poche, avec mon mouchoir par-dessus. J'ai trois enfants – deux adoptés et un avec ma légitime épouse – et je ne voulais surtout pas que des gens bien intentionnés viennent resservir à mes marmots que leur père était un assassin. À la suite de mon entente avec la police, j'ai reconnu ce crime – en fait, l'un de mes complices m'avait donné – que les autorités ont ajouté à la liste de tous les mauvais coups impunis sur lesquels elles passaient l'éponge. Afin de miner ma crédibilité et pour horrifier les honnêtes contribuables, l'avocat de mes anciens complices s'est empressé d'étaler les détails de cette affaire avec une rare complaisance.

Je pouvais pourtant invoquer des circonstances atténuantes. Pendant près de 10 ans, je n'avais reçu aucune visite en prison. Seul mon *chum* m'aidait un peu et m'accueillait lors de ces sorties occasionnelles que nous appelons dans le jargon des prisonniers des « codes 26 ». Il m'avait encore dépanné à ma libération. J'en étais là à songer à mon hypothétique avenir lorsqu'une connaissance de cet ami vint me voir avec une télécommande d'un genre assez spécial. Il me demanda si ce boîtier électronique était dangereux. Je répondis par l'affirmative, car, ayant jeté un coup d'œil au montage de l'appareil, j'avais tout de suite compris qu'il s'agissait d'un dispositif de mise à feu d'une bombe.

Le dynamitero

– Si j'étais à ta place, je ne toucherais pas à ça, lui ai-je dit. Ça fonctionne sur une bande amateur CB de 27 mégahertz. C'est sensible. Si vous ne connaissez pas ça, la moindre erreur en installant l'engin... et vous sautez avec.

Trois jours plus tard, le même homme me demandait si je connaissais les explosifs et si j'étais capable de fabriquer une bombe. J'ai voulu savoir pourquoi, et il m'a expliqué que mon *chum* et d'autres personnes aussi fiables voulaient régler son compte à un « chien sale ». C'était presque un appel aux sentiments. En pareil cas, il est difficile de refuser. Et puis, dans notre monde, nous arrangeons nos affaires entre nous.

Mais lorsque des gens qui n'ont rien à y voir se trouvent accidentellement sur le chemin... c'est plus dur à digérer.

Accompagné de deux complices, je suis allé installer mon engin sur une Cadillac qu'ils m'avaient désignée et dont ils m'avaient ouvert la portière avec une dextérité de professionnels. J'ai déposé la charge explosive sous le siège et branché le détonateur dans la boîte de fusibles; il suffisait de tourner la clé de contact pour obtenir un feu d'artifice garanti.

Aux petites heures du matin, j'appris la nouvelle à la radio chez ma sœur. La victime était un certain Roland Quintal, 49 ans, contremaître aux aciéries Stelco. Ce père de sept enfants avait eu pour seuls torts d'être voisin du *hit,* de la cible, et d'aimer un peu trop les grosses voitures. J'étais atterré.

C'est quand des choses semblables se produisent qu'on se demande comment il est possible de commettre un tel acte de sang-froid. Si la méprise n'avait pas été aussi regrettable, si le malfaisant avait été « pluggé », je serais vite passé à autre chose. En effet, avec le recul, je peux dire aujourd'hui que je n'attachais pas plus d'importance à la vie d'autrui qu'à la mienne. En prison, alors que j'étais encore adolescent, on m'avait fait beaucoup plus mal que si on m'avait collé six balles dans la peau. On m'avait brimé, souillé; j'avais dû me plier à toutes sortes de bassesses dans le seul but de survivre, perdant ainsi toute dignité. Je ne me disculpe pas. Je constate. Si on me demandait ce que j'en pense aujourd'hui, je répondrais qu'enlever la vie à un être humain est un geste horrible, que rien n'excuse, peu importe qu'il s'agisse d'un règlement de compte ou d'une affaire d'État.

Mais je n'en étais pas là en 1978. En effet, à cette époque, la police dégainait à qui mieux mieux et tirait sur tout ce qui bougeait. Nous disions que les flics étaient *trigger-happy,* chatouilleux de la détente, et que leur arme leur tenait psychologiquement lieu de quéquette. On ne peut pas généraliser, bien sûr, mais encore de nos jours, les balles s'égaillent un peu trop rapidement dans les rues de Montréal, dans le style western « Tire d'abord ! On plaidera ensuite[1]... » Dans cet esprit, je me demandais pourquoi le ministère public avait le droit de tuer et pas moi. Comme je l'ai dit plus haut, cette histoire de voiture piégée ne fut jamais consignée dans mon casier judiciaire. Elle fit surface à l'occasion de l'affaire du fourgon blindé de Sécur et de son beau butin de 47,7 millions de dollars, dont il sera question plus loin.

Parlant de meurtres, j'aimerais sauter quelques années et confesser un autre crime du même genre que j'ai commis le 8 juillet 1986, à Saint-Lambert. Dans ce cas, il s'agit d'un vrai contrat que j'obtins alors que je purgeais une peine dans un pénitencier à sécurité minimum, un « B-16 ». S'y trouvait un détenu dont la femme se consolait avec un directeur de succursale bancaire, un certain Pierre Marcoux. Elle l'avait averti qu'elle comptait mettre un terme à leur idylle dès l'élargissement, prochain, de son mari. Celui-ci devait, en effet, bénéficier d'une libération conditionnelle. On m'a raconté que le directeur de banque avait tiré des ficelles auprès de certaines relations au ministère de la Justice pour qu'on retarde le plus possible la libération du mari gênant. Être cocu alors qu'on est en taule n'est déjà pas drôle, mais voir sa détention prolongée par la faute de l'amant de sa femme constitue une insulte impardonnable. On se serait cru en pleine comédie de boulevard, mais l'histoire dégénéra en une tragédie dont j'étais le machiniste. Les directeurs de banque et autres personnages *straight* allaient apprendre à

1. Il suffit de rappeler deux « bavures » policières. Le cas d'Anthony Griffin, un Jamaïcain de 19 ans abattu le 11 novembre 1987 dans la cour arrière du poste 15 de la police de la CUM par le policier Allan Gossett, alors qu'il prenait la fuite, et le cas de Marcellus François, 24 ans, un Haïtien, interpellé alors qu'il était passager dans une voiture, le 3 juillet 1991, et qu'un agent de l'escouade d'intervention avait abattu en se croyant menacé. M. François n'était pas armé. L'agent Gossett, représenté par Me Serge Ménard, fut acquitté d'homicide involontaire. Le policier qui a tiré sur M. François n'a jamais été mis en accusation.

leurs dépens qu'il n'est guère avantageux de fricoter avec les blondes des mauvais garçons en cabane, et encore moins de jouer avec leurs nerfs.

Marcoux en prit conscience trop tard. Comme je profitais d'une sortie temporaire de trois jours, de l'une de ces sorties autorisées par l'administration pénitentiaire, le cocu du B-16 m'envoya rencontrer quelqu'un qui me fournit les clés du garage et du véhicule de Marcoux. Il m'a suffi d'installer tranquillement la bombe pendant la nuit, en branchant toujours le détonateur dans la boîte de fusibles.

Lorsque ça a fait boum, en bon père de famille, j'étais auprès des miens. Puis, j'ai tranquillement réintégré la prison, en saluant poliment les gardiens. Du travail soigné, au-dessus de tout soupçon.

Le mari malheureux, commanditaire de l'exécution, me remercia en effaçant une dette de drogue de 5000 $ qui embarrassait beaucoup mon revendeur habituel de cocaïne, soumis lui aussi à des pressions de la part de ses impitoyables fournisseurs. Lorsque je regarde en arrière, là encore j'éprouve de sincères remords. Le type de la banque n'aurait peut-être mérité qu'une bonne volée, mais son rival n'avait pas le sens de l'humour et possédait un bas de laine de 5000 $. D'un autre côté, un poseur de bombes avait des dettes... Tous les éléments du drame étaient réunis. Cela n'excuse pas le crime, mais l'explique dans un certain sens.

« *Technicien qualifié recherche emploi* »

Revenons à la période qui a suivi ma libération conditionnelle de 1978. Je tentais alors de gagner honnêtement ma vie et cherchais du travail comme technicien en électronique. Les grandes entreprises, les multinationales, comme Bell et filiales, investissent des millions dans de la publicité débile et des festivals de comiques, mais ne penseraient jamais à recycler pour un salaire décent des techniciens ex-détenus dans mon genre. Bien que jouant la rectitude politique pour ce qui est de la condition féminine, de la lutte au tabagisme et de la protection des bélugas dans le Saint-Laurent, elles ne veulent pas ternir leur image en s'intéressant à des personnages qui ont passé un peu trop de temps à l'ombre aux frais de la collectivité. Les repris de justice ne sont guère populaires, voyez-vous, et ces entreprises s'en tiennent trop souvent à la politique que les juges pratiquaient il n'y a pas si longtemps encore face au dilemme de la peine de mort, alors qu'ils avaient coutume de répéter: « Que Messieurs les criminels commencent ! » Le seul problème, c'est qu'il aurait fallu commencer avant de commettre nos crimes, c'est-à-dire ne pas naître, comme les chômeurs et les nécessiteux. Ces grosses entreprises ont tort, car nous pourrions leur rendre de singuliers services, et ça nous donnerait la possibilité de repartir à neuf. Enfin...

Qualifié ou non, lorsqu'un ex-détenu a la chance de trouver du travail, c'est généralement dans un petit commerce, dans une entreprise peu importante. Le patron n'est pas difficile, et comme il n'a pas de grands moyens, il vous engage à un salaire peu élevé. Il faut dire aussi qu'un tas d'anciens taulards n'ont aucune formation particulière et sont très peu scolarisés. Ils ne peuvent donc prétendre à des postes mirobolants. Bien sûr, il y a eu des cas de réinsertion sociale remarquables, où des gars se sont rangés, se sont même associés avec les artisans qui les employaient ; ils mènent une vie tranquille et se font oublier.

Tout dépend de l'artisan, évidemment. Je fus engagé comme technicien en électronique dans un atelier de Montréal. Des gars pas très nets, mais sans l'envergure suffisante pour être truands. J'effectuais pour des milliers de dollars par jour de réparations, mais n'empochais que le fabuleux salaire de 259 $ par semaine. Un minimum vital. Les patrons me promettaient de m'augmenter, de me prendre éventuellement comme associé, mais il s'agissait de paroles en l'air, d'une carotte qu'on agitait devant moi pour m'exploiter le plus longtemps possible. En outre, l'affaire était mal administrée, gérée à la *botch,* et je ne sais vraiment pas ce qu'ils faisaient de leur argent. On me dira que ça ne me concernait pas. Oui et non.

La situation empirait du fait que, sur le plan du travail comme sur le plan personnel, je ne m'entendais pas avec l'un des propriétaires, qui me répugnait particulièrement. Ce vieux vicieux était amateur de très jeunes mineures, une pratique sexuelle qui n'est guère prisée chez les voyous, du moins ceux qui, comme moi, n'ont aucune sympathie pour les harceleurs d'enfants et les maquereaux.

Son associé a voulu me congédier pour faire plaisir à l'autre. Jouant au grand gestionnaire, il m'a servi un beau discours, m'a parlé de conflit de personnalité, de la nécessité de préserver l'esprit d'équipe dans son entreprise selon les derniers critères des cercles de qualité à la japonaise, de la qualité au premier coup et autres théories à la mode. Il me prenait pour un cave. Lorsqu'il m'a dit : « Tu comprends, je ne veux pas d'histoire... », je n'ai rien compris du tout. Je suis allé trouver l'amateur de gamines, pour lui dire ma façon de penser et le prévenir :

– Mon écœurant... Je sais très bien où tu habites sur la Rive-Sud, ai-je fait valoir. T'es mieux de marcher les fesses serrées mon gars. Tu veux me « crisser » dehors, m'enlever le pain de la bouche ? C'est dégueulasse. Non seulement je fais du chiffre d'affaires, mais je ne t'ai jamais volé une diode ou un transistor merdeux, alors que tu sais fort bien que certains employés t'ont déjà volé des boîtes entières de pièces. Je n'ai jamais mordu la main qui me nourrit. En contrepartie, je te demande de ne pas mordre celle qui fait tourner ton moulin sous prétexte que je n'aime pas les fourreurs de petites filles. Essaye un peu et tu vas voir ce qui t'arrive... Ça me prendra un mois, quatre mois, six mois ou plus, mais je finirai par te faire passer le goût des fruits verts... Et n'oublie pas que ce ne sera pas la première fois, mon maudit cochon...

Il n'a pas insisté, et j'ai conservé mon emploi. Une bonne chose, car j'avais charge de famille. Depuis ma libération, je tenais à mener une vie sans histoire. J'avais rencontré ma femme cette année-là. Elle était mariée, mais son conjoint la battait comme plâtre. En plus, ce bon à rien se laissait vivre tandis qu'elle, elle s'épuisait 16 heures par jour à travailler dans des restaurants pour nourrir ses enfants et ce parasite. J'ai rapidement réglé le problème en menaçant ce minable et en l'envoyant se faire voir chez le diable. Je me suis mis en ménage avec cette femme courageuse qui m'apportait l'affection qui m'avait si longtemps manqué.

C'est elle qui parvint à faire craquer ma cuirasse. Avant elle, j'étais un genre de *desperado* qui n'avait pas peur de mourir ou de donner la mort. Je jouais avec le feu et passais mon temps dans les cabarets les plus louches. Auprès d'elle, je m'humanisais. Dès qu'elle s'éloignait, je m'ennuyais. Bref, j'étais amoureux. J'avais donc délaissé ma vie de fou et tentais de mener une existence paisible... ou presque. C'est pourquoi j'endurais la situation qui régnait au magasin d'électronique. Vers la fin de 1979, mes employeurs décidèrent de me vendre leur entreprise. Plein d'espoir en l'avenir, j'acceptai. Je me suis bien fait rouler, car l'affaire était pourrie et criblée de dettes. Mes soupçons sur la mauvaise gestion de la boîte se confirmaient, mais trop tard. J'en fus pour mes frais, et ma réinsertion était à l'eau.

« Canadian Tire. Solidement garanti »

Au début de 1980, toujours décidé à devenir entrepreneur, j'ai emprunté 20 000 $ à un *shylock,* un spécialiste du prêt usuraire auquel ont recours les gens du milieu qui désirent se financer. Il me réclamait 600 $ en intérêts par semaine sur le capital – un taux annuel de 156 p. 100! Et mieux valait respecter les ententes avec ces gars-là. Si les banques peuvent vous saisir impitoyablement tout ce que vous possédez, les *shylocks* font de même avec, en prime, des sévices que je préfère ne pas décrire ici.

J'ai ouvert une boutique au coin des rues Sainte-Catherine et Bennett, que j'ai appelée Atelier technique Richelieu. Il y aurait eu moyen de faire fortune au ralenti avec ce commerce, mais les intérêts de l'usurier me minaient. Avoir à verser 600 $ avant de payer le loyer, les fournisseurs, les taxes et les salaires me plaçait dans une position financière précaire. J'avais beau recourir, malgré moi, à des expédients comme l'arnaque à l'assurance (déclarer volés des téléviseurs vendus), je ne parvenais pas à joindre les deux bouts, et même si je m'étais fait une bonne clientèle, je finissais par travailler pour rien.

J'ai payé mes intérêts usuraires pendant six mois, puis j'ai décidé de « remettre les gants », comme on dit chez nous. Les gants du cambrioleur. Après tout, j'avais une bonne couverture. En compagnie d'un ex-lieutenant de la police de la Communauté urbaine de Montréal (on a ses relations), je suis allé vider le coffre du magasin Canadian Tire de la rue Iberville. Nous avons ramassé 55 000 $. Je me suis empressé de payer le *shylock,* ce qui, en théorie du moins, me permettait de repartir sur des bases plus saines. Pas vu, pas pris, pas condamné, pas de casier.

Allais-je mettre un terme à mes forfaits et devenir enfin un honnête artisan ? Je me faisais des illusions, comme la majorité des gens. Le citoyen moyen rêve parfois de délinquance et se dit : « Si seulement je pouvais faire un bon coup pour payer mes dettes et repartir à neuf. » Oui, c'est ce qu'on croit, mais même si on ne se fait pas prendre, le virus de l'argent facile ne tarde pas à nous contaminer. Quand un bon père de famille travaille sept mois pour le fisc et cinq mois pour lui, il rêve à de beaux dollars détaxés. Or il n'y a que deux façons de se les procurer : par des moyens criminels ou par des moyens légaux aussi peu honorables. Mais attention ! ces derniers sont réservés aux riches : fiducies familiales bidon, transferts d'argent dans les paradis fiscaux des Caraïbes, détournement des surplus de caisses de pension du personnel, escroqueries de commanditaires et de fournisseurs, faillites frauduleuses, etc. La liste de ces manipulations se retrouve dans toutes les publications économiques. Elles portent simplement des noms différents et plus respectables. Travailler pour profiter de seulement cinq douzièmes de mon argent ne me semblant pas très attirant, je tombai une fois de plus dans le piège de la combine.

Une prise d'otages assez amicale

En 1981, un employé de banque me signala un coup fumant qui retint toute mon attention. La chambre forte d'une banque de Kirkland était en cours de réfection et, pendant ce temps, on avait placé les fonds de l'établissement dans un coffre dont la serrure n'était pas commandée par un système d'horlogerie. Il suffisait de connaître la combinaison et d'ouvrir la porte. Voler une banque ne m'avait jamais causé d'inquiétudes métaphysiques ; toujours avec mon lieutenant de police ripou et un autre complice, spécialiste des bureaux de poste, nous avons préparé notre coup. Cela a pris un mois.

En séquestrant le directeur, nous obtenions la première partie de la combinaison, tout simplement parce qu'il la gardait dans son portefeuille. La deuxième partie était prétendument détenue par l'aide-comptable. C'est ainsi que, pendant une heure et demie, nous avons séquestré le directeur et sa femme dans la chambre à coucher de leur maison de l'île Bizard. L'ex-policier s'était servi de sa vieille plaque de flic, qui faisait toujours son effet sur le bon public. Le tout s'est déroulé sans violence, presque avec civilité. Nous avons finalement installé le couple au sous-sol et lui avons demandé de se détendre. La situation était quasi irréelle. Après s'être décrispée, la dame a même proposé de nous faire du café !

Le directeur, qui n'avait pas le choix, nous a donné la combinaison. Je lui ai ensuite demandé d'appeler son aide-comptable. Il devait lui raconter qu'il y avait eu un bris de vitrine près de la banque au cours de la nuit – sans doute le fait de quelque ivrogne ou de jeunes vandales traînant dans les parages. L'employé devait se rendre à la banque pour vérifier si tout était en ordre, puis appeler son patron pour lui rendre compte de la situation. Le directeur s'exécuta sans problème.

Je laissai le couple à la surveillance de l'un de mes complices et filai à la banque avec l'autre. Nous avons coincé l'as de la calculette qui se montra des plus surpris. Il nous aurait remis sans peine la deuxième partie de la combinaison s'il l'avait eue en sa possession. Il nous avoua candidement que c'était le trésorier qui possédait ce sésame et qu'en plus la combinaison venait d'être changée. Bref, le tuyau était crevé et ça sentait le roussi.

Il ne restait que trois choix : attirer le trésorier dans un traquenard, entrer par effraction ou abandonner. Je pensais sérieusement à la deuxième solution, mais ne tardai pas à me raviser. En effet, le temps passait, nous n'étions pas préparés à cette éventualité et il n'était pas question de faire intervenir une autre personne, qu'il aurait fallu d'abord retrouver puis séquestrer. Il y a des jours comme ça. Dans la vie comme à la guerre, avant de sortir de la tranchée, il faut avoir prévu une position de repli. Nous avons enfermé l'aide-comptable dans les toilettes et avons appelé notre complice à l'île Bizard pour lui dire de tout laisser tomber. Bref, nous sonnions la retraite.

Nous regrettions d'autant plus d'avoir raté cette banque qu'un épicier Metro devait venir y déposer 60 000 $ avant notre passage. Nous avons appris par la suite qu'il n'avait pas fait son dépôt pour cause de maladie. Le sort s'acharne parfois à ajouter l'insulte à l'injure. D'abord, il y a eu Pierre, le policier ripou, qui a été identifié par la femme du directeur de la banque. Ensuite, le type qui gardait mes outils s'est mis à table pour deux onces de haschisch. Enfin, mes deux complices sont devenus délateurs.

Décidément, la *bad luck*, la guigne, me poursuivait depuis le début dans cette affaire merdique.

Le 6 mars 1982, je recevais une brique monumentale en pleine face. Quasiment tout le Code criminel. Je fus accusé de complot, de séquestration et d'extorsion. J'aurais dû écoper huit ans plus un an consécutivement pour usage d'arme à feu. Je demandai que l'on laisse tomber l'accusation de complot, ce que l'on m'accorda. Le 3 avril de la même année, ma libération conditionnelle fut révoquée. Pendant ce temps, le magasin d'électronique, qui m'avait coûté tant d'efforts et qui renfermait pour plus d'un million de marchandises en inventaire, était bazardé pour 20 000 $ seulement. Un désastre... mais ma famille avait besoin d'argent et ce n'était pas à l'ombre que je pouvais m'occuper d'un commerce.

La passion de l'électronique

On me laissa sortir pour me marier et, en 1983, j'étais libéré. Je commençai à prendre des contrats de réparation de télévision. Allais-je devenir honnête ? Hélas ! je glissai une fois de plus dans la solution de facilité et, avec un copain, me retrouvai en train de vider un petit coffre chez Addison, un magasin d'électronique en gros du nord de la ville, dans le coin de la 20e Avenue et de la rue Jarry. Il s'agissait d'une affaire frisant le million, 944 000 $ pour être précis ; environ 15 000 $ en liquide et le reste en traites au porteur.

Seulement voilà, à 4 h 30 du matin, alors que nous sortions presque en sifflotant par la porte de derrière, deux flics qui somnolaient dans leur auto-patrouille (après avoir consommé Dunkin' Donuts et café) nous cueillirent comme des fraises à la Saint-Jean-Baptiste. Ils auraient mieux fait d'oublier le café... Complot d'introduction dans les lieux par effraction, introduction par effraction et, bien sûr, vol, tels furent les chefs d'accusation. Le 6 février 1985, j'attrapais une sentence d'un an et reprenais un chemin que je connais sais trop bien : celui des cellules. Un autre mauvais point à mon dossier.

Il faut dire qu'avec Addison j'avais pris comme une sorte d'abonnement. En 1981, je leur avais déjà fait la caisse, soit 10 000 $ en liquide. Et puis, j'avais récidivé plus tard. Ces deux premières fois, je ne fus pas inquiété par les autorités, simplement parce qu'elles n'en avaient rien su. Au cours de mon procès de 1985, ma femme eut l'occasion de parler au propriétaire, que je connaissais d'ailleurs bien. Il trépignait en me suppliant par personne interposée de choisir un autre commerce la prochaine fois. Je me promis de ne plus le voler et je tins parole. N'empêche qu'il devrait me rendre cette justice qu'avec tout ce que je lui ai acheté au fil des années, il est sans doute rentré dans ses frais... ou presque. L'électronique ? Une passion, vous dis-je...

Après 10 mois de taule, le 30 décembre 1986 je bénéficiais d'une nouvelle mise en liberté conditionnelle. En 1987, j'ai bricolé tout en travaillant pour une entreprise spécialisée dans les systèmes d'alarme, mais, une fois de plus, je ne pus renoncer à la possibilité de faire de l'argent facile. Je devais toutefois changer de registre.

L'arnaqueur du bord de l'eau

C'est en effet à cette époque qu'avec un ami je devins arnaqueur professionnel, escroquant des personnages ambigus et non du pauvre monde. J'appelais des gens d'affaires que les scrupules n'étouffaient pas et me faisais passer pour le représentant d'un grossiste ou encore d'un *custom broker,* un transitaire, ayant, par exemple, à vendre des moteurs industriels à bon compte. Je leur expliquais qu'il s'agissait d'« *overflaps* du bord de l'eau », une appellation magique qui ouvrait généralement les oreilles de cette clientèle potentielle comme des portes de grange.

Je jouais en quelque sorte la carte sulfureuse de la malhonnêteté qui sommeille dans chaque être humain. Allons, allons, ne me racontez pas d'histoire... Qui n'a jamais rêvé un jour de se procurer un téléviseur, une chaîne stéréo ou tout autre bien de consommation au quart de son prix, à condition de ne pas poser trop de questions sur sa provenance ? Et si vous êtes un commerçant qui tire le diable par la queue et qu'on vous propose mettons 20 articles sans facture et hors taxes, que diriez-vous ? Pas vous ? C'est possible, mais si vous me répondez que ce genre de vente est rare, c'est que vous êtes soit mal informé, soit de mauvaise foi, car, chaque année, des millions de dollars de marchandises disparaissent sur les quais de la métropole. Et si ces biens disparaissent, ce n'est pas pour être contemplés. C'est que des gens les achètent quelque part. Je peux vous le dire par expérience, bien des compagnies à la conscience élastique sont acheteuses d'*overflaps.*

Les *overflaps* sont des retours à l'expéditeur, des colis mal étiquetés, si bien qu'on ne sait plus au juste qui en est l'expéditeur et qui en est le destinataire. Certaines de ces commandes sont renvoyées chez le fabricant qui n'en a cure parce que le modèle ne satisfaisait qu'un client en particulier ou se trouve démodé. On bazarde aussi certains des biens non réclamés au cours d'encans organisés par les autorités compétentes. Tout cela gruge beaucoup de temps et la disparition subreptice de ces commandes pour le moins flottantes et mal identifiées, qui bouffent de l'espace et ramassent la poussière, simplifie souvent la vie de tout le monde. De petits malins se font fort de vous trouver l'affaire du siècle et de sortir l'objet du délit des installations portuaires grâce à des camions banalisés. J'étais de ceux-là et pourtant je ne volais aucune marchandise non réclamée. En fait, je vendais du vent et la seule réputation des *overflaps* assurait le succès de l'entreprise. Mais avant que vous me demandiez comment j'étais en mesure de savoir ce qui pouvait se vendre plus ou moins légalement dans le port de Montréal, permettez-moi de vous ramener à la définition du mot « arnaque », qui signifie non seulement escroquerie, mais artifice et tromperie.

Imaginons un entrepreneur en camionnage qui doit changer les moteurs de sa flotte de véhicules. Après une recherche de circonstance et avoir pressenti le pigeon, voici comment j'abordais ma complaisante victime. Les noms sont évidemment fictifs.

– Allô, M. Beauchard ? Ici Jos Wharf, de l'Amalgamated Stevedoring. J'aurais peut-être une bonne affaire pour vous. Vous changez parfois les moteurs de vos camions, n'est-ce pas ?

– Oui, ça m'arrive...

– Ça vous coûte cher, n'est-ce pas ? Au fait, quel genre de moteurs utilisez-vous ?

– Des diesels Cummins 350... Mais écoutez, je suis pressé. Qu'est-ce que vous vendez au juste ?

– J'aurais peut-être quelque chose pour vous : six Cummins de ce type-là à des prix vraiment très très bas, des *overflaps*...

– Et d'où ils viennent, ces moteurs ?

– J'allais vous le dire. Ils ont été commandés aux États-Unis par la Défense nationale pour équiper certains modèles de tanks. Le ministère a décidé qu'il y avait six moteurs de trop parce que les Forces armées n'en veulent pas. Le bureaucrate qui les a commandés les a déjà payés par chèque à la compagnie. Vous savez comment sont administrées nos finances publiques... Personne ne veut reconnaître ses torts dans cette affaire, tout le monde couvre ses erreurs et son petit derrière, tandis que nous, nous finissons par être pris avec des frais d'entreposage. Je pourrais vous avoir ces moteurs au quart de leur prix. Ils sont encore dans leurs caisses, prêts à être installés. Six mille piastres l'unité au lieu de 27 000, c'est un *bargain,* une affaire à saisir, qu'en pensez-vous ?

Je parlais des Forces armées, mais j'aurais pu tout aussi bien mettre en scène une multinationale ou une compagnie de transport. Nous convenions d'un rendez-vous. Je me présentais comme un représentant des grands patrons ou comme un contremaître du port sans trop de scrupules. Je jaugeais l'individu et lui expliquais qu'il ferait une affaire d'autant plus exceptionnelle s'il payait comptant, ce qui lui éviterait d'acquitter ces maudites taxes contre lesquelles tout le monde peste. Certains se montraient méfiants, bien sûr, auquel cas je coupais ça court, mais la perspective d'un gain, le goût de l'interdit et de la combine en accrochaient d'autres comme truites à l'hameçon dans un bassin d'élevage.

Je les faisais venir au port avec l'argent, encaissais le magot et les envoyais à tel numéro de hangar avec leur camion en leur remettant un papier qui avait l'air tout ce qu'il y a d'officiel. Je leur recommandais de demander Jean-Guy Tremblay, le responsable des lieux, qui leur remettrait la marchandise. On peut s'imaginer la tête du pigeon tournant en rond sur les quais, accostant les débardeurs pour leur demander s'ils connaissaient un dénommé Jean-Guy ou encore Jos (qui encore ?), pour s'apercevoir en fin de compte qu'il s'était fait avoir. Et à qui pouvait-il aller conter ses déboires ? À la police ? En attendant, je m'étais évidemment taillé. La beauté dans toute cette arnaque, c'est que je ne touchais à aucune marchandise et ne volais rien, sinon l'argent de personnes qui étaient loin d'être irréprochables.

Ventes bidon en tout genre

L'arnaque comportait un avantage supplémentaire. Loin de me borner aux moteurs ou au matériel de construction, je pouvais « vendre » à peu près n'importe quoi. Au cours de ma dernière enquête préliminaire, les magistrats qui m'interrogeaient m'ont demandé si j'avais « vendu » autre chose que des moteurs. Je les ai fait sourire en leur avouant que j'avais dû vendre à peu près tout ce que l'on pouvait trouver dans les Pages jaunes, et ce, à raison de deux ou trois arnaques par mois pendant presque deux ans.

Ces transactions illicites se déroulèrent relativement bien de 1988 à 1990 (avec un intermède en taule). C'est ainsi que j'ai vendu, entre autres, des scies circulaires industrielles (et imaginaires) Oilsers à 25 000 $ l'unité, une trentaine de tondeuses à gazon inexistantes à un quincaillier de la rue Hochelaga, 10 000 $ de plomb en vrac (très très léger) à un Arabe qui se pensait pourtant futé. Tel un négociant, je me promenais parmi les containers de la compagnie Cast, agissant comme une personnalité des quais dans ce marché de voleurs.

Je devais toutefois avoir des yeux tout autour de la tête, au cas où se pointerait un jour une de mes anciennes victimes.

Malgré tout cela, c'est avec assurance que je m'adressais au pigeon pressé d'aller charger sa marchandise acquise par des moyens pas très limpides

– Allez donc voir le *gatekeeper* à la *shed* numéro six et demandez Mario Gagnon...

Il embrayait le cœur joyeux, et je disparaissais jusqu'à la prochaine arnaque. La routine, en somme. J'arrivais à faire parfois jusqu'à 30 000 $ par mois, en ne risquant pas grand-chose puisque, au fond, le matériel prétendument mal acquis n'existait pas. À argent facile, dépenses faciles. Mes rares complices et moi, nous carburions à la cocaïne, non seulement pour le plaisir, mais aussi pour nous donner du pep, de l'allant, car il en fallait. Le seul danger était de tomber sur un pigeon plus truand que moi qui se serait décidé à donner un contrat à quelqu'un pour se venger. Heureusement, la majorité des gens d'affaires avec qui je transigeais avaient trop à perdre et n'étaient pas des tueurs. Et puis, dans le fond, je méprisais le danger. Je crois même qu'il me stimulait.

J'ai eu très chaud à un certain moment, pour une affaire de réfrigérateurs supposés volés. Je ne sais trop comment, mais la police fut prévenue. Deux types qui jouaient les acheteurs se sont présentés dans un camion, m'ont invité à monter et à m'asseoir entre eux dans la cabine. Je ne sais pas pourquoi, mais j'ai flairé la flicaille. Ces gars-là appartenaient sans nul doute à l'escouade Cargo et l'un d'entre eux était celui qu'on désignait comme étant le cerveau de la brigade antigang. Je me sentais assez mal pris.

L'astuce était d'en dire le moins possible et de jouer à l'imbécile. Tandis qu'ils me cuisinaient subtilement, je me gardai bien de leur réclamer de l'argent. Dès qu'ils insistaient, je leur expliquais que je n'étais qu'un vague intermédiaire un peu demeuré, au courant de rien, à qui l'on avait demandé de rendre service et de montrer le chemin. Ne tenant pas à m'incriminer, sous je ne sais quel prétexte, j'ai fait arrêter le poids lourd en disant aux deux types: « Moi, j'ai fini, allez donc voir Untel à tel hangar... » Je savais qu'ils ne pouvaient pas grand-chose contre moi.

Même les Mohawks...

Pourtant, à cause de l'arnaque des frigidaires bidon, ma libération conditionnelle fut révoquée en 1988. On m'envoya purger huit mois à Archambault, mais je bénéficiai bientôt d'une libération sous caution. À ma sortie, je repris mes arnaques, en ajoutant les receleurs à la liste de mes victimes. Je parvenais parfois à leur subtiliser jusqu'à 10 000 $. De toute façon, ces vautours, souvent indicateurs de police, ne se gênaient pas pour nous exploiter lorsque nous étions coincés entre deux coups et qu'il nous fallait de l'argent rapidement. Je n'avais pas de cadeau à leur faire.

J'organisai aussi des arnaques aux cigarettes illégales avec les Mohawks, qui possèdent une vaste expérience dans la cigarette dite « à plume », c'est-à-dire de contrebande. En une certaine occasion, je réussis à leur soutirer sans peine 26 000 $ d'un coup. S'ils m'avaient pincé, ils m'auraient certainement fait revivre le massacre de Lachine par les Iroquois, tel qu'on le décrivait dans nos livres d'histoire à l'école. Toutefois, aussi fumants qu'ils aient pu être, ces coups n'étaient pas de ceux qui vous assurent la retraite (une illusion, on le verra plus loin) et qui défrayent la manchette des quotidiens. Après tant d'années de galères, je cherchais encore des coups à la hauteur de mes compétences, toujours sans violence inutile.

L'AVION BLINDÉ DE LA BRINKS

Mais passons aux choses sérieuses... Depuis 1976, je connaissais Gilles, dit « Sourire », un gars rencontré à Cowansville et à Archambault. Il semblait avoir de vastes relations dans les milieux interlopes les plus divers : aux États-Unis, en Amérique latine et même en Europe. Très énigmatique, il paraissait privilégier les *jobs* dont les établissements financiers faisaient les frais et ne pas priser la violence. Il naviguait avec aisance dans le monde de la poudre, c'est-à-dire la cocaïne qui, en Amérique du Nord, avait commencé par faire fureur chez les artistes de la côte ouest pourris d'argent, puis qui s'était propagée chez certains bourgeois bon chic bon genre, chez de riches oisifs, chez des gens qui n'avaient aucunement les moyens de toucher à ça et, bien sûr, chez les marginaux de notre espèce.

Hanté depuis longtemps par les sommes d'argent fabuleuses et les valeurs juteuses transitant par l'aéroport de Dorval, Sourire mijotait un coup assez extraordinaire. Il possédait un contact sûr chez le convoyeur de fonds Sécur, qui avait à l'époque remplacé la traditionnelle maison Brinks. Mais faire un coup à l'aéroport ou près de celui-ci comportait des risques peu communs. On risquait d'avoir affaire moins à des flics municipaux qu'à la GRC, cette police fédérale qui aime bien parader à cheval en chapeau scout et qui prétend toujours attraper son homme. Il faut admettre que si les *mounties* ne sont plus ce qu'ils étaient, la légende est toujours tenace.

Cinquante millions en l'air

En effet, l'aéroport de Dorval grouille de policiers fédéraux. Ayant une peur maladive de la Gendarmerie royale, Sourire avait conclu qu'il était nécessaire de créer une diversion. Le tout était de savoir où et comment; mais il bloquait et se rendait compte que j'avais peut-être un rôle à jouer dans cette affaire. Il avait approché en vain des gens censés savoir faire sauter une bombe par téléphone. Si les grandes gueules sont légion, on rencontre moins souvent de vrais spécialistes, et il l'avait vite compris. Au printemps 1990, il entra en contact avec moi.

– J'ai un job pour toi, un job pour un gars qui connaît l'électronique et qui n'a pas peur, me dit-il. Du vendredi au samedi, il y a entre 600 000 et 50 millions de dollars qui se promènent dans les camions de Sécur entre le centre-ville et l'aéroport de Dorval. Il y a la possibilité de faire main basse sur de 25 à 30 millions en obligations, en titres négociables. Le chargement peut contenir aussi jusqu'à six millions en diamants ou des lingots d'or, des gros. Lorsque ce sont des lingots, c'est un minimum de 15. À raison de 300 000 « douilles » par *big bar,* je te laisse calculer. Certains transports peuvent aller jusqu'à 50 millions...

C'était la caverne d'Ali Baba. Je n'avais jamais fait de coup de ce genre, mais peut-être était-il temps pour moi de laisser tomber mes petites arnaques en solo, de devenir braqueur et de tenter le job du siècle. Je comptais surtout sur mes connaissances en électronique pour éviter toute violence. Des armes, d'accord – et des bonnes –, mais seulement pour montrer sa force, sans avoir à s'en servir. Moi, le solitaire, je devais maintenant composer avec les membres d'une équipe. Autant je me fiais à mes capacités, autant j'étais réticent à accorder une confiance totale aux autres. Un franc-tireur a toujours des difficultés à s'intégrer à un groupe de gens dont l'expérience est pour le moins disparate.

Je pressentais déjà que ce travail nécessiterait de quatre à cinq hommes. J'ai revu Sourire dans un restaurant-minute Harvey's. On s'imagine toujours que les malfrats se réunissent dans des bars tape-à-l'œil ou dans des restaurants italiens du genre mafieux. Chacun son style. En ce qui me concerne, j'ai toujours favorisé les endroits publics où se tiennent des quidams peu voyants, car les restaurants-couvertures et les bars interlopes sont souvent surveillés par la police, voire truffés de micros et de mouchards.

– Les camions partent du bas de la ville, m'a expliqué Sourire, dans le coin des anciens bureaux de la douane, rue McGill. Ça se passe tôt le matin. Ils ne sont pas escortés et suivent toujours le même itinéraire : Décarie, Côte-de-Liesse, autoroute 13. L'avion arrive toujours vers quatre ou cinq heures du matin. À cette heure-là, il n'y a pas de surveillance, d'autant plus que l'entrepôt se trouve hors des limites de l'aéroport.

Sourire, qu'on surnommait ainsi parce qu'il ne souriait sans doute que lorsqu'il se brûlait (ce qui ne lui arrivait pas souvent), a ajouté que deux appareils assez semblables atterrissaient à peu près à la même heure : un de la Société canadienne des postes et un avion, dit blindé, de la Brinks. C'était évidemment ce dernier qui nous intéressait. On pouvait les distinguer, affirma-t-il, au bruit de leurs moteurs. L'un des appareils avait de classiques moteurs à pistons et l'autre, des turbopropulseurs. Je devais découvrir que détecter la différence entre les deux types d'engins exigeait une oreille particulièrement exercée chez quiconque n'était pas aviateur ou mécanicien en aéronautique.

La traque

Sourire et moi avons suivi le convoyeur d'argent cinq ou six nuits de suite et planifié le coup pour l'automne 1990.

Nous avions décidé d'un commun accord, pour toutes sortes de bonnes raisons, dont la baisse saisonnière de l'activité économique (et donc des chargements moins considérables) que l'été n'était pas une saison propice. Mais fallait-il attaquer le fourgon ou l'avion ? La première solution était classique, mais pouvait exiger plus de temps, car il fallait « ouvrir » le maudit camion comme une boîte de conserve, à l'aide d'une petite charge explosive, tout en ménageant la vie des convoyeurs. La seconde permettait d'éviter les intermédiaires : du producteur au consommateur, en quelque sorte ! C'était à décider. Mais si nous options pour la seconde solution, qu'allions-nous faire du fourgon blindé, qui ne manquerait pas de se présenter près de l'avion pour prendre livraison de son chargement ?

Nous avons convenu qu'il fallait faire appel au nombre le plus restreint de coéquipiers. Si nous avions besoin de main-d'œuvre d'appoint pour voler des voitures et des camions, il nous suffisait d'engager des sortes de pigistes, des *punks,* de petits délinquants rétribués « à l'acte » et ignorant tout de nos activités. S'ils se faisaient prendre, moins ils en savaient et mieux cela valait. Quant à ceux qui travaillaient plus près de nous, il leur suffisait d'être efficaces et d'obéir. Nous n'avions pas besoin de penseurs et de tacticiens. Sourire et moi suffisions, avec l'aide d'un homme de main plus près de nous que les autres.

C'est dans cet esprit que nous avons formé notre équipe, réduite à sa plus simple expression. Il y avait Gilles, dit Sourire, Gordie et moi en guise de triumvirat de base, plus Richard, le conjoint de fait de la sœur de Sourire, qui assurait la garde de notre « bureau de campagne ». Il s'agissait d'un véhicule récréatif que nous louions pour le week-end. Nous y gardions notre arsenal et il devait nous servir de lieu de ralliement après le coup. L'équipe comprenait aussi André, propriétaire d'une taverne rue Ontario, et Bobby. Ces deux comparses pouvaient jouer les chauffeurs, soit pour bloquer l'avion sur la piste, soit pour conduire l'énorme benne à ordures Sanivan ou Reich 10 roues, destinée à barrer la route au fourgon blindé de Sécur ou à le renverser, pour l'empêcher de donner l'alarme.

L'avion blindé de la Brinks (cette appellation avait trait à sa fonction, les transports de fonds, plutôt qu'à son réel blindage) circulait selon un plan de vol variable, en dents de scie. Les principales escales étaient New York, Toronto, Ottawa, Montréal, quelquefois New York, Ottawa et Montréal seulement, selon les livraisons à faire. Nous avions heureusement un informateur chez Sécur, un type qui avait décidé de travailler pour lui-même et que je n'ai jamais rencontré. Au risque de se compromettre, son rôle se trouvait forcément limité. Cette « taupe », comme on dit dans le jargon du contre-espionnage, ne pouvait fouiner impunément dans les différents secteurs si aucun motif de service ne le justifiait, ni poser trop de questions indiscrètes à ses collègues. Nous devions donc combler les lacunes informationnelles par déduction, avec tous les risques que cela comportait.

La stratégie finale n'était pas encore fixée. En gros, il fallait attaquer directement l'avion en approchant un camion près de sa porte de chargement. Il fallait donc neutraliser le fourgon de Sécur, qui ne manquerait pas de se pointer dans le coin. On pouvait, pour ce faire, lui crever les pneus sur la route pour le retarder ou encore, dès qu'il se présenterait, le faire culbuter par la benne à ordures. Cette question réglée, il suffisait de faire irruption dans la carlingue de l'avion blindé et de se faire passer la monnaie.

Le jeu de la diversion

Facile à dire, plus difficile à faire. L'opération devait se dérouler à la manière d'une attaque de commandos, suivant un minutage très strict. Seulement voilà, on ne réussit pas de tels coups de main sans créer de diversion. L'avion au magot se trouvant à quelques kilomètres de l'aéroport, c'est le plus loin possible que nous devions attirer la flicaille. Il fallait lui laisser soupçonner que quelque syndicaliste ravageur, du genre de celui qui avait organisé le derby de démolition de la baie James, ou encore que quelque « crisseur » de bombes, quelque chevelu extrémiste s'en prenait aux installations fédérales. Au Québec, il y a toujours eu de l'action dans ce domaine et bien des affaires non résolues sur lesquelles la police et, parfois, les politiciens ont passé l'éponge. Nous pouvions profiter de ces antécédents historiques.

C'est là que j'entrais dans le jeu avec mes gadgets. Premièrement, il me fallait perturber les communications dans le secteur. Il suffisait pour cela de faire sauter l'un des postes de la compagnie Bell, une de ces grosses boîtes en tôle grise pleines de relais et montées sur des plates-formes de ciment que l'on voit un peu partout. Deuxièmement, il fallait faire sauter une autre bombe, par exemple dans le coin où se trouvaient les bureaux de notre chère Gendarmerie royale, toujours sensible aux actes subversifs dont j'ai parlé plus haut. Bref, il fallait lui en donner plein les mains et lui faire jouer les *Keystone's Cops,* ces flics cocasses que l'on peut voir dans d'anciens films muets.

Troisièmement, s'il était utile d'immobiliser les convoyeurs, il était encore plus utile de brouiller leurs transmissions radio pour les empêcher de raconter leurs misères à la police. Il y avait cependant un hic : il fallait à tout prix savoir sur quelle fréquence émettait leur radio, peut-être grâce à notre « taupe ». Une fois immobilisé par un véhicule plus lourd que lui, le fourgon blindé ressemblerait à une de ces grosses tortues des Galápagos qui, renversées sur le dos, crèvent au soleil si on ne les aide pas à se remettre sur leurs pattes.

Nous avions calculé que si le fourgon arrivait avant l'avion, cela ne présentait pas de problème : le Sanivan à 10 roues le neutraliserait le moment venu. S'il arrivait après, l'affaire pouvait se compliquer. Pour nous assurer d'être convaincants, il fallait débarquer avec des armes très puissantes, du matériel militaire. Un convoyeur qui lève la tête et reluque en gros plan une mitrailleuse lourde, un bazooka ou un canon, comme dans l'affaire du fourgon de la rue Saint-Jacques[1], ne perd pas de temps à philosopher sur la précarité de l'existence humaine : il fait ce qu'on lui dit. On raconte qu'Al Capone, le célèbre mafioso, avait coutume de dire que l'on obtenait plus facilement ce qu'on voulait avec un beau sourire et un revolver qu'avec un beau sourire seulement. Je ne sais pas si cette anecdote est exacte, mais une chose est certaine, peu de gens jouent aux héros devant des armes vraiment dissuasives.

J'avais personnellement une AR-11, une machine à secouer le paletot des plus coriaces, une copie de l'Uzi israélienne. Nous avions aussi un AK-47, le fusil-mitrailleur russe le plus répandu et le plus copié à travers le monde, une faucheuse utilisée par la plupart des groupes d'activistes, de terroristes et par les membres de ces milices armées vociférantes dont les méfaits et exploits alimentent les agences de presse. Cette redoutable arme automatique pouvait cracher 80 balles en enfilade.

André et Bobby devaient se trouver dans la benne à ordures qui allait éventuellement emboutir le fourgon de Sécur. Sourire, Gordie et moi devions occuper le camion gris qui s'approchait de l'avion, que nous investissions. Sourire demeurait dans le camion pour recevoir les lingots d'or que lui passait Gordie, tandis que je tenais en joue le type de la Brinks, le pilote et le copilote.

Le fourgon quittait généralement le centre-ville à trois heures du matin. Nous avions prévu un autre scénario pour

1. Le 30 mars 1976, devant le siège social de la Banque Royale du Canada, au 360, rue Saint-Jacques Ouest, à Montréal, un certain Roger Provençal avait pris au dépourvu des convoyeurs de la Brinks de manière originale. Sans le savoir, ceux-ci avaient stationné leur camion derrière celui des braqueurs, dont la porte arrière s'était soudainement ouverte pour découvrir un canon antiaérien plutôt inquiétant. Ce vol devait rapporter 2,8 millions de dollars à ses auteurs.

nous débarrasser de l'encombrant fourgon, il était toujours possible de tirer discrètement dans ses pneus, par exemple dans l'une des roues avant. Le temps que Sécur envoie un autre camion, nous aurions déjà compté la recette.

Bœuf et taupe à notre service

Sourire était le spécialiste du renseignement. Il avait empiriquement découvert que l'information, c'est le pouvoir. Pour un type qui avait passé des années dans la poudre, en 15 ans, il ne s'était jamais fait prendre pour des choses sérieuses, surtout grâce à ses relations. Il pouvait obtenir l'adresse de n'importe qui, même des flics, en quelques minutes. Il avait des indicateurs partout, notamment chez Bell. Il connaissait des préposées à la clientèle et même un ingénieur qui pouvait nous refiler des tuyaux techniques de première qualité.

Il avait aussi dans sa manche un policier ripou de la Communauté urbaine de Montréal, un capitaine, paraît-il. Cet aimable « beu », qui avait fréquemment accès, légale ment ou non, aux ordinateurs, prévenait Sourire lorsqu'il était filé par ses collègues. Le code, plutôt enfantin, était « Attention, c'est rouge ! » En ce qui me concerne, je me tenais loin de ce douteux protecteur du public. Plus tard, pour 4 800 $ je me suis procuré aux États-Unis un appareil perfectionné capable de détecter toute voiture de police dont les occupants jouaient avec une fréquence quelconque. J'avais beaucoup plus confiance dans mon gadget et il ne m'a jamais trahi.

Était-ce la poudre qui ouvrait autant de portes à Sourire ? Je ne saurais le dire. Nous avons vu qu'il avait chez Sécur une « taupe » très bien placée, directement branchée avec New York. Son informateur savait à quelle heure l'avion blindé quittait cette ville, quelle était la météo sur le parcours et les retards possibles de l'appareil. Il connaissait jusqu'au profil psychologique de tel ou tel convoyeur devant se trouver à bord.

Nous savions par notre informateur combien il pouvait y avoir approximativement de lingots d'or dans l'appareil. Ainsi, le mercredi soir, il pouvait contenir de 10 à 100 millions de dollars en liquide et jusqu'à un quart de milliard en obligations négociables. Le vendredi et le samedi étaient les *Golden Days,* les journées de l'or, et les sommes d'argent pouvaient osciller entre 20 et 50 millions.

En novembre, nous étions prêts. J'avais demandé que l'on m'obtienne du C-4 ou de la Gelatine Giant. On trouvait ce dernier explosif chez Hydro-Québec. Mais il n'était pas nécessaire de cambrioler la puissante société d'utilité publique. À condition d'avoir le bon contact dans cet État dans l'État, on s'y procurait beaucoup de choses intéressantes avec l'aide de certains membres du personnel. La Gelatine Giant coûtait 100 $ le bâton et les détonateurs assortis, 50 $ chacun. Il me fallait au départ six bâtons : trois pour faire sauter une voiture et trois pour le centre de communication. Quand j'eus fini de m'approvisionner, en tenant compte des inévitables tests, le compte se montait à 2 000 $. Si j'insistais pour obtenir ce type d'explosif, c'est qu'il est beaucoup plus stable que la dynamite classique, qui se cristallise avec le temps, se met à suinter et devient dangereuse à manipuler.

Tous ceux qui préparent des coups de ce genre oublient souvent combien ils peuvent être coûteux. En effet, même le citoyen le moins informé sait que, dans notre monde, personne n'est payé à la semaine ni à la quinzaine. Nous avons beau rêver à de fabuleuses recettes, entre-temps il nous faut vivre. Monter un coup requiert de multiples déplacements, des faux frais et de nombreux graissages de pattes. Quant au matériel roulant, même s'il est volé, il nous coûte plus cher que si nous allions le louer chez Hertz ou Avis, car les *punks* qui nous rendent ces services ne travaillent pas pour la gloire, d'autant plus que voler une benne à ordures à deux essieux, par exemple, exige des gens expérimentés et non des conducteurs de suppositoires d'autobus. Puisque nous sommes dans le sujet, je précise qu'il nous fallait deux camionnettes du genre Econoline Ford, ce véhicule passe-partout qui sert aussi bien de véhicule de livraison que de *sin bin ou* baisodrome aux jeunes Nord-Américains. L'une de ces camionnettes nous permettrait de filer avec la cagnotte et l'autre servirait à empêcher l'avion de bouger, advenant le cas où le pilote de l'appareil aurait l'intention de jouer au taxi sur la piste. Enfin, nous avions besoin d'un véhicule récréatif de type Winnebago, une sorte de quartier général ambulant stationné à environ cinq kilomètres du lieu du hold-up. Nous pouvions y entreposer nos armes, déposer le butin et nous regrouper. Ce *camping-car,* gardé par Richard, se louait pour la somme rondelette de 750 $ par week-end.

L'électronique entre en jeu

Le compte à rebours pouvait commencer. Afin d'être en mesure d'agir avec toute la vitesse voulue, je proposai à mes complices, qui allaient devoir manipuler lingots et sacs d'argent, de s'entraîner. En effet, la forme physique est importante lorsqu'on se propose de faire passer 25 briques d'or de 75 livres environ chacune et une quarantaine de sacs bourrés de papiers d'un avion à un véhicule routier. J'avais calculé que nous disposions d'environ une minute quarante-cinq secondes pour effectuer le transbordement. Ce ne serait donc pas le moment d'avoir des crampes et d'invoquer les clauses de la convention collective des débardeurs.

« Coller » plus longtemps que cela dans le coin équivalait à risquer un affrontement avec la GRC, avec fusillade en règle et, peut-être, bain de sang – une éventualité qui se trouvait aux antipodes de mes principes. En guise d'entraînement, je demandai donc à mes acolytes de faire de la course et de manipuler des poids de 35 kilos à raison de 25 fois par minute. L'un d'entre eux suivit mes conseils, mais l'autre se montra plus réticent, ce qui nous desservit. Les mauvais garçons ne sont guère portés sur la discipline, même lorsqu'elle n'est que suggérée. Tout conseil leur rappelle un peu trop la prison. En fin de compte, c'était l'équipe qui était perdante. Mais allez donc faire faire de l'exercice à un dur à cuire pas très en forme qui se pense athlétique et qui ne veut rien savoir...

Il fallait aussi penser aux tactiques de diversion. J'achetai deux montres parlantes chez Radio Shack, les modifiai et en fis des mécanismes de bombes pouvant être commandés par signal téléphonique seulement. J'avais également trafiqué d'anciens téléavertisseurs de type Pagette. Le tout m'avait pris une soirée sur la table de la cuisine. Chaque bombe était activée grâce à un téléphone cellulaire et à un téléavertisseur, et devait sauter à l'heure que nous avions choisie, vers les quatre ou cinq heures du matin.

Mais on ne pose pas une bombe n'importe comment. Il faut doser ses charges. Par exemple, si on ne veut pas qu'une voiture prenne feu, trois bâtons d'explosif au moins sont nécessaires. Un seul bâton et la voiture se met à brûler. En effet, plus l'explosion est forte et plus le souffle empêche l'oxygène d'alimenter les flammes.

Restait enfin la question du brouillage des ondes du fourgon de Sécur. Je me suis rendu chez Bell Mobilité, leur ai raconté que j'avais un avion à Québec, que j'utilisais pour aller à la chasse. J'ai demandé une radio de 25 watts programmée sur une fréquence donnée. À l'aide d'un oscillateur, j'étais capable d'envoyer 1 000 cycles pour tout brouiller. Pour connaître la fréquence, il n'y avait qu'à suivre en auto le fourgon blindé. À un moment donné, l'un des occupants appela sur sa radio pour signaler qu'une voiture suspecte suivait le fourgon. Il me suffit de le laisser « puncher » sa fréquence et de la relever. Si ma mémoire est fidèle, elle était de 160 moins 14. Quatre ans plus tard, à l'occasion d'une autre attaque de fourgon, je me suis aperçu que les caves de Sécur ne l'avaient pas modifiée sur leur radio mobile ! Par contre, ils étaient équipés en plus de *walkies-talkies.* Cela ne m'empêcha pas de repérer cette nouvelle fréquence, qui était de 168-300.

Avant de passer à l'action, nous avons commis plusieurs erreurs. J'ai déjà mentionné que nous avions pensé tirer discrètement dans les pneus avant du fourgon blindé afin de l'immobiliser sur la route et ne pas l'avoir dans les jambes à Dorval. Le temps que ses occupants appellent une remorqueuse et un camion de rechange, nous étions loin. Cela nous épargnait le numéro de bélier avec le gros camion d'éboueur. Nous avons fait le guet sur la 13 et l'un de nos équipiers a tiré avec une carabine .303 munie d'un silencieux sur le train avant du fourgon de Sécur. Au lieu d'atteindre sa cible, la balle a touché l'une des roues jumelées à l'arrière, ce qui n'empêchait aucunement le camion de rouler.

Nous avons craint qu'une fois le fourgon revenu au garage les mécanos ne s'aperçoivent que l'on avait tiré dans les roues, ce qui risquait de mettre la puce à l'oreille des convoyeurs qui auraient resserré la surveillance autour de l'aéroport. La balle n'étant pas restée dans l'enveloppe, les hommes de service de Sécur mirent fort heureusement la lacération du pneu sur le compte de quelque pièce de ferraille traînant sur la chaussée. C'est du moins ce que nous avons appris par notre taupe. Un tel essai infructueux coûtait cher. Nous avions fait voler des véhicules, loué un Winnebago et posé des bombes pour rien. Il nous fallait, bien sûr, récupérer ces bombes en prenant garde de ne pas nous faire repérer. Comme il est écrit sur les cases à gratter des billets de loterie : « Meilleure chance la prochaine fois ! »

Pendant presque un mois, ce ne furent que filatures et vaines manœuvres d'approche. La malchance semblait nous poursuivre. Avant de passer à l'attaque pour de bon, nous avons fait sept tentatives infructueuses, car chaque fois une bonne raison nous empêchait de nous engager à fond. Trop de choses dépendaient de variables comme la météo, l'heure d'arrivée de l'avion et du fourgon blindé, le chargement présumé, etc. Il fallait que ces variables fussent aussi favorables que possible, d'autant plus que chaque fois que je posais et désamorçais mes bombes, je multipliais les risques de faire des rencontres indésirables. Moins on se montre en un lieu et mieux on se porte. Comme toujours en tel cas, en moins de deux minutes nous allions jouer notre liberté, notre avenir, peut-être nos vies. Nous ne pouvions par conséquent rien laisser au hasard. Un appel téléphonique codé et l'opération était suspendue. Les penseurs de l'équipe, je l'ai déjà mentionné, étaient Sourire et moi ; les autres étaient des exécutants, cela dit sans mépris, et ils commençaient à s'impatienter, car le coup fut remis plusieurs fois et nous continuions à nous rencontrer tous les cinq devant un hamburger chez Harvey's.

Le 3 novembre 1990, prêts à l'assaut, nous étions aux aguets non loin du poste de la douane, rue Ryan. Il ne s'agissait pas d'une *dry run,* d'un coup d'essai. J'écoutais les moteurs de l'avion qui s'apprêtait à se poser. Pistons ou turboréacteurs ? Je ne pouvais le dire avec exactitude, mais il me sembla que c'était le « bon » appareil. Gordie dut penser la même chose, et lorsqu'il lâcha le « Go ! » fatidique, j'appuyai résolument sur la touche *Send* de mon appareil à peu près au même instant où il donnait un contrordre en hurlant : « C'est pas le bon ! C'est pas le bon ! C'est l'avion de la poste ! » La fraction de seconde était de trop. La bombe avait explosé et, avec elle, la voiture que j'avais volée et conduite à Dorval. J'y avais placé deux bâtons de Gelatine Giant et un bidon de 20 litres d'essence, histoire d'allumer un beau petit incendie. Bien entendu, je me suis gardé de faire sauter le centre de communications, où je dus aller désamorcer mon engin.

Tandis que je m'époumone au *walkie-talkie,* dans l'excitation du moment, voilà la benne à ordures qui passe sur le gazon. Je donne l'ordre à son chauffeur de tout laisser tomber, mais il ne semble pas comprendre et, de la cabine, laisse partir un coup de feu en tripotant un fusil de calibre 12, l'arme favorite de Gordie. Bref, c'est le bordel, le sauve-qui-peut général.

Après le coup du pneu crevé, nous avions décidé qu'il fallait éperonner le fourgon de Sécur sur place. Privés d'ordres, sans patrons pour leur dire quoi faire, les convoyeurs n'avaient plus qu'à jouer au mort et à s'éteindre. Il suffisait d'attendre et de rejoindre le camion blindé en passant par la barrière de la douane puis, à une vitesse d'au moins 40 km/h, à le culbuter. Nous ne pouvions plus jouer dans la dentelle. Fort heureusement, nous n'avions pas été jusqu'au bout. On me demandera comment personne n'eut de soupçons à la suite de cette explosion. Les journaux en parlèrent abondamment, mais on conclut à quelque conflit de travail larvé à l'aéroport, l'une de ces manifestations musclées sous couvert d'action syndicale, dont le Québec a toujours eu le secret.

Une police aéroportuaire en folie

Le jour fatidique arrive enfin. Il s'agit de la huitième tentative. Comme d'habitude, nous sommes tous vêtus de sombre et portons des passe-montagnes bleus, comme les types de l'escouade spéciale d'intervention des SWAT. J'ai un pistolet Taurus, qui n'est rien d'autre qu'un Beretta brésilien. Nous avons aussi nos mitraillettes. J'ai installé une bombe dans une roulotte Keymore que j'avais louée et stationnée dans un endroit isolé pour ne blesser personne, puis bang ! voilà qu'elle saute. C'est ensuite le tour du centre de communications. Ça doit s'exciter à l'aéroport...

Depuis les deux contrats à la bombe que je regrette tant et qui me hantent encore, j'ai toujours cherché à travailler le plus proprement possible. Comme on le verra plus loin, dans des essais avortés où nous avions subi l'intense frustration de voir des mois de travail et des sommes conséquentes nous échapper – parfois des dizaines de millions en espèces –, lorsque les policiers criaient *Freeze !* cette classique interpellation qui signifie sur tout le continent nord-américain de ne plus faire un geste et de lever les mains, au lieu de répliquer avec nos armes, pourtant plus puissantes que les leurs, nous nous rendions ou nous sauvions, quand cela était possible. Le seul plomb qui vola – et ce fut une bavure qui ne me concernait pas – endommagea un gyrophare. Personnellement, j'ai toujours pensé qu'il me fallait être assez homme pour admettre que j'avais perdu la partie sans entraîner d'autres gens dans ma propre débâcle.

Le brouilleur n'attend que de se mettre en marche pour, selon mon expression favorite, « éteindre » nos amis les convoyeurs de Sécur, qui peuvent arriver n'importe quand. La benne à ordures est prête à défoncer la porte du grillage Frost qui entoure les lieux afin de culbuter le fourgon blindé (pour faciliter les choses, nous avions cisaillé d'avance le cadenas qui la fermait). Sourire, Gordie et moi arrivons, à bord de la camionnette grise, qui recule et se colle à la porte de l'avion. En quelques secondes, celui-ci est investi. Sourire demeure sur place tandis que je saute dans la carlingue, suivi de Gordie.

Pour le gars de la Brinks, le pilote et le copilote, la surprise est totale. Tous trois sont pâles comme des linges. Je colle le canon de ma mitraillette dans le dos du convoyeur, qui avait pour siège une chaise ridicule pour un homme de 100 kilos, un genre de chaise de bébé que l'on ne se serait pas attendu à trouver dans un avion. J'ai pensé un instant que non seulement ces types-là étaient mal payés, mais qu'en plus ils étaient mal traités. Il a dû lire ma pensée, car il me déclare qu'il n'a pas l'intention de jouer au héros. Pour le moment, ça roule sur du velours.

– Faites pas les cons ! ai-je annoncé à la ronde. Vous savez très bien qu'il y a 20 000 livres de kérosène dans les ailes de cet avion. Il n'y a donc pas de niaiseries à faire icitte. Si ça explose, tabarnak, on va tous se retrouver sur la lune...

– J'sais ce que vous voulez dire, a répliqué l'homme de la Brinks.

Je me suis ensuite adressé aux membres du personnel volant et les ai prévenus de bien se garder d'activer tout commutateur qui constellait le plafond de la cabine. Lorsqu'on a les mains en l'air, on peut avoir des tentations... Devant ma détermination, ils ont décidé de n'en rien faire. Plus tard, les deux hommes ont déclaré aux policiers qu'ils avaient compris avoir affaire à des professionnels, juste à la manière dont je tenais mon arme. On a beau dire, on a sa fierté.

Je me trouve derrière le deuxième filet de retenue destiné à empêcher la marchandise de se déplacer. Toute la scène ne prend que quelques secondes. La camionnette, toutes portes ouvertes, est collée à l'avion, auquel une deuxième camionnette barre la route. La précaution semble superflue, car le pilote ne bouge pas.

C'est l'île au Trésor ! De chaque côté de la carlingue, question d'équilibrer la charge, sont rangés les beaux lingots dont le scintillement excite depuis si longtemps notre convoitise. Mais l'heure n'est pas à l'émerveillement touristique. Gordie empoigne les *big bars* et les passe à Sourire, qui les reçoit dans la camionnette. Je donne aussi un coup de main, sans oublier de garder nos trois lascars en joue.

Il suffit de compter dans sa tête : 22, 23, 24 secondes... Des lingots et des sacs passent, que j'imagine contenir de beaux dollars fraîchement imprimés ; 45, 46, 47, Gordie accuse des signes de fatigue ; 69, 70, 71, quelques lingots passent encore ; Gordie n'en peut plus et Sourire s'essouffle ; 76, 77, 78, un sac de paperasse, des obligations, sans doute ; 108, 109, 110... J'annonce en gueulant : « C'est assez ! on part... » Spontanément, j'ai décidé de reprendre la situation en main. Notre temps est expiré. Comme ces ménagères gagnantes de concours de supermarchés, qui doivent remplir leur chariot d'un maximum de bonnes choses en un temps record, nous avons fait le plein. Il reste encore une fortune dans ce foutu appareil, mais nous attarder risquerait d'être mortel. Il est temps de décrocher.

Le butin se compose de 14 lingots d'or (que nous appelions « briques » ou *big bars), 4* millions de dollars en titres au porteur, 7 millions en obligations non négociables, 3 000 $ en liquide et quelques bijoux. Il n'y a guère que l'or qui est encaissable dans des délais assez brefs. Nous filons sur le boulevard Henri-Bourassa et l'adrénaline grimpe au plafond. Après avoir déposé le magot dans le Winnebago aux soins de Richard, nous nous dispersons. Le lendemain, nous nous retrouvions dans un *fast-food* de Repentigny.

Là, Gordie me demanda de suivre son camion jusqu'à une roulotte. Il se stationna le long de celle-ci, en sortit deux lingots d'or qui attendaient près de la porte et les déposa dans le coffre de ma voiture. Je venais de recevoir ma part. Sourire, Gordie et chacun des deux autres touchaient aussi deux lingots ; la taupe de Sécur en récoltait un tandis que Richard devait empocher environ 250 000 $ en argent pour son aide. Il restait donc trois lingots. Sourire devait nous appeler pour nous indiquer comment nous débarrasser de notre or au meilleur prix.

C'est derrière un Club Price que j'ai rencontré un grand de 1,83 mètre d'une cinquantaine d'années, chauve, dans les 100 kilos. Je lui confiai mes deux briques, que j'avais d'ailleurs coupées en trois parties égales, car il paraît que c'est plus facile à vendre et à fondre sous cette forme. Une chose était certaine, cela se manipulait plus aisément. Je m'étais servi d'une scie à métaux pour couper mes lingots et j'avais, bien sûr, récupéré la limaille. Il ne m'avait fallu que 10 minutes par brique. Chacun sait que l'or est un métal mou et celui-ci était d'ailleurs d'une grande pureté – entre 94 et 97 p. 100. Je n'ai jamais su où le métal précieux était fondu et, dans le fond, cela ne me regardait pas. On m'a raconté cependant que ça se passait en douce dans une fonderie tout ce qu'il y a de plus en règle, sans doute pendant que les patrons étaient occupés ailleurs. Il est essentiel, en effet, que les fours soient maintenus à la bonne température, à la bonne pression, que le métal soit convenablement traité et, surtout, non altéré par des impuretés lorsqu'on le fait passer dans de nouveaux moules. Bref, pour rendre de l'or volé commercialisable, on ne pouvait le traiter dans l'atelier crasseux d'un ferrailleur de banlieue.

Quoique intéressants, ces détails techniques me concernaient peu. Tout ce que je savais, c'est que je devais attendre une grosse semaine pour ramasser le foin. Le prix était fixé en fonction du poids des portions de lingots. Ces gens-là semblaient travailler en pièces détachées, sans doute pour limiter les risques. Un tiers de brique me rapportait environ 100 000 $, mais le tout dépendait de la vitesse à laquelle les revendeurs fondaient cet or qui, d'après ce que je comprenais, était écoulé jusqu'en Europe. Il avait fallu rencontrer trois revendeurs pour s'entendre sur les prix. L'un de ceux-ci, un Irlandais de la bande de l'Ouest, ne voulait nous donner que 50 000 $ du lingot. Les truands québécois n'étaient guère plus généreux. D'après ce que l'on m'a dit, ce sont des Juifs du milieu qui ont pu nous obtenir un prix raisonnable pour la marchandise. Ils possédaient les relations internationales indispensables pour passer notre or. À chacun sa spécialité.

Restaient les obligations et autres titres. Il n'était pas question de les faire circuler sur le marché. Ç'aurait été le meilleur moyen de nous faire pincer à courte échéance. Par l'intermédiaire du petit Bobby, qui n'avait pas inventé le bouton à quatre trous, nous avons rencontré la bande des Sigouin dont le chef, Marcel, était censé valoriser les quatre millions d'obligations négociables et les sept millions de non négociables. Nous devions récupérer 15 p. 100 des 4 millions, soit 600 000 $. Nous n'avons finalement obtenu que 15 000 maigres dollars chacun. Ils avaient pourtant négocié une tranche de 600 000 $ qu'ils devaient nous remettre. Ensuite, ils ont écoulé 4,2 millions de titres supplémentaires dont nous n'avons jamais vu la couleur. Bref, nous nous étions fait avoir comme des caves.

Sourire était en joyeux calvaire, d'autant plus qu'il connaissait des gens aux États-Unis, peu pressés mais fiables, qui utilisaient les obligations *hot* dans le genre des nôtres en guise de garantie sur des placements hypothécaires. Données « en collatéral », selon l'expression américaine consacrée, ces pièces auraient pu reposer des années dans le coffret de sûreté d'une banque de Miami et garantir de solides placements immobiliers capables d'assurer nos vieux jours. En fin de compte, je n'ai jamais su ce qu'il était advenu de ces titres. Sourire m'a raconté qu'on les avait emballés dans du papier d'aluminium, déposés dans une glacière Coleman et enterrés dans les champs. Ça nous faisait une belle jambe...

Nous étions rendus en mai 1991 et l'affaire semblait morte. Mais vers le milieu d'octobre 1991, les valeurs du hold-up de Dorval ont commencé à refaire surface, presque un an après le coup. C'est du moins ce que j'ai appris par les journaux. Sourire m'a dit: « On est cuits. Ça ne marche pas. On s'est fait arnaquer la première tranche... » Il en voulait à André et à Bobby de nous avoir branchés sur des requins comme les Sigouin, et il s'en voulait à lui-même, le calculateur ambulant, de leur avoir fait confiance. Toujours pour la même affaire, j'ai vu dans le *Journal de Montréal* qu'un certain Réal Roberge, un « crosseur » et faux jeton de première, qui prenait contact avec des gens aux États-Unis pour fourguer notre butin, s'était fait pincer par les G-men, c'est-à-dire le FBI. Une chose était certaine: je n'irais pas lui porter des oranges en taule...

Dans le magot, il y avait aussi pour quelque 3 000 $ de bijoux que Sourire partagea consciencieusement entre nous. Jusque-là, il s'était montré bon associé, payant rubis sur l'ongle. Avec ses relations en Suisse, à Panamá, à Medellín, avec sa compagnie paravent d'évaluateurs en construction, sa société de films bidon, sa maison de rapport, il jouait cool. Il avait coutume de dire: « Ils ne pourront rien saisir. Ils ne trouveront jamais mon argent... » Il jouait sur l'échiquier continental américain. Il se rendait plusieurs fois par année à Acapulco, à Cancún, à Medellín, en Jamaïque, et se prélassait sur les plages du cartel de la drogue. Je me souviens que, tandis que les Jamaïcains faisaient la loi dans ce domaine à Montréal, Sourire contrôlait le trafic de haschisch. Il avait empoché 1,8 million en quelques mois avec cette *shit.* C'était un homme très secret, dont le bras droit se méfiait du gauche. Ainsi, nous savions qu'il avait une amie, mais il rien parlait qu'en tant que nettoyeuse de chaudrons et commissionnaire, juste assez délurée pour lui porter ses vêtements chez le nettoyeur. Véritable ordinateur, dépourvu de chaleur humaine, c'était peut-être le secret de sa relative réussite. Dans un job *straight,* il aurait fait un bon directeur des finances, un vérificateur interne, un actuaire, bref, un excellent homme dans une spécialité tout aussi chaleureuse.

En définitive, cette affaire m'a rapporté 600 000 $, une somme qui semblera considérable à plusieurs personnes. Mais *easy come, easy go,* et je devais la dépenser très rapidement. Il y a d'abord eu les dettes de fonctionnement à payer, puis les dépenses du prochain coup que nous préparions et que nous voulions être celui du siècle. Pour anticiper, disons que cette organisation nous coûta 300 000 $ et que j'en supportai le tiers. Le reste de l'argent s'envola dans des nuages de poudre blanche, que je consommais jusqu'à raison de trois onces (près de 85 grammes !) par semaine. Cette habitude était non seulement horriblement coûteuse, mais catastrophique pour ma santé puisque, au fil des ans, l'usage immodéré de coke provoqua chez moi neuf arrêts cardiaques, dont l'un faillit m'être fatal.

DEUX CENTS MILLIONS DE DOLLARS EN SOUS-SOL

Parmi les amis – ou du moins les relations – de Sourire se trouvait un employé de la Banque de Montréal qui lui avait fourni des plans des fondations du vénérable siège social de cette institution financière, sis au 160, rue Saint-Antoine. À la Ville de Montréal, Sourire connaissait aussi une obligeante personne qui s'était arrangée pour lui laisser voir un plan des égouts de la métropole. On devine le reste.

Les précurseurs

Il suffisait de s'approcher par les égouts le plus près possible des fondations de la banque, puis de creuser un tunnel afin d'avoir accès aux sous-sols de l'établissement. La formule n'était pas nouvelle, et s'il avait fallu verser des droits d'auteur pour ce genre de coup, je pense que c'est Georges Lemay qui les aurait empochés. Lemay devait sa notoriété au cambriolage, le 1er juillet 1961, de la salle des coffres de la Banque de Nouvelle-Écosse, au coin des rues Sainte-Catherine et Saint-Alexandre, où plusieurs membres du clan Cotroni, tels des écureuils, planquaient leurs noisettes. Voler les Cotroni, dont la réputation s'étendait jusqu'aux *big shots*, aux caïds, de New York ou de Chicago, était d'une audace – ou d'une inconscience – monumentale.

Lemay et sa bande avaient loué un appartement situé juste en face de la banque et c'est de là qu'ils avaient creusé un tunnel sous la rue Sainte-Catherine, qui menait à la chambre forte. Ils avaient signé un bail de cinq ans pour ne pas attirer les soupçons et choisi la période de congé de la Saint-Jean-Baptiste pour finir l'excavation qui conduisait à la salle aux trésors. À l'aide d'un outillage spécialisé, de dynamite et de *walkies-talkies,* Lemay avait réussi, pendant la période comprise entre le congé de la Saint-Jean, le 24 juin, et celui de la Confédération, le 1er juillet, sans attirer de soupçons, à rafler un maximum d'argent, de bijoux et de valeurs, qu'on estima à près de 600 000 $. Je dis bien « estimer », car le contenu des coffrets de sûreté constitue un secret et nombre de victimes n'aiment guère parler d'argent soustrait au fisc ou acquis de manière pas toujours honnête.

Le coup avait parfaitement réussi. Georges Lemay parvint à fuir à Miami où il vécut dans son luxueux bateau, et si les autres membres de la bande se firent épingler, ce fut par la faute d'un complice frustré – pour une question de partage inégal – qui, pour se venger, avait dénoncé tout le monde. Lemay fut recherché, et sa photo fut la première à être transmise partout en Amérique et en Europe par le satellite *Early Bird.* Il fut capturé en Floride six ans plus tard et extradé au Québec. À l'époque, les Québécois célèbres jusque sur l'Ancien Continent étaient rares, ce qui valut à Lemay une certaine notoriété et, comme on le verra plus tard, des imitateurs. Une chose était admirable dans sa technique : l'absence de violence à l'américaine. Je me souviens d'une parodie télévisée il y a quelques années qui mettait en parallèle la conception anglaise et la conception américaine de la chose. Un perceur de coffres-forts britannique pris sur le fait dans une banque est invité à monter dans la petite Austin d'un inspecteur de Scotland Yard.

– Je pense que vous avez perdu, *old chap...,* dit l'inspecteur.

– Oui, indubitablement. Et ça va me coûter combien ?

– Oh ! Cinq ans peut-être...

– *Not so bad...* J'ai beaucoup de lecture en retard...

Toujours dans cette parodie, aux États-Unis, un vol à main armée de quelques dollars dans un magasin de bonbons se déroulait avec des fusils d'assaut et des bazookas, faisait plusieurs morts et embrasait le quartier. Bref, comme Lemay, je pense que j'aurais été assez *British* de ce côté-là, mais en bon Nord-Américain, je ne négligeais pas la force dissuasive des armes...

Les personnes dans la cinquantaine se souviennent également de Lemay en tant qu'inventeur du « livre à une piastre ». Dans les années cinquante, alors que l'édition québécoise se cantonnait dans de petits tirages pour une clientèle lectrice un peu élitiste, il avait publié un best-seller où il se défendait d'avoir assassiné sa femme. Cette initiative devait donner un irrésistible élan au livre populaire. Issu d'une famille très à l'aise, instruit, redoutablement intelligent, le « Beau Georges » aurait pu se distinguer dans bien des domaines, mais il avait, par quelque perversion du destin, un peu comme Jacques Mesrine plus tard, choisi la criminalité pour exprimer ses talents.

Cinq ans après le coup de la bande à Lemay, un gang qu'on avait alors associé au clan Cotroni tentait de rejouer cette « mélodie en sous-sol » (et peut-être de se refaire après avoir été plumé de la même façon) en prenant pour cible la succursale de la Banque d'épargne, située au 5169, boulevard Décarie. Le groupe avait loué à cette fin un logis juste en face, au 5146, rue Trans-Island. Inspirée de la technique Lemay, l'opération avait débuté le 1er juillet 1966, afin de profiter du calme de la saison estivale. Elle se poursuivit pendant neuf mois. Les mineurs clandestins connurent mille misères, dont un effondrement du tunnel. Comme ils étaient sur le point d'accéder à la chambre forte, la police leur mit la main au collet, le vendredi 31 mars 1967.

Sans que nos fouisseurs le sachent, la police les surveillait depuis longtemps et aurait voulu les prendre la main dans le sac. Ayant dû précipiter les événements, elle arrêta la bande avant que celle-ci ait eu le loisir d'au moins contempler le butin convoité, qui devait s'élever à quelque six millions de dollars. Frank Cotroni fut désigné comme l'un des artisans présumés du coup. Un mois plus tard, cet homme très fier subit la pire humiliation de sa carrière. Accompagné des magistrats qui instruisaient l'enquête, il fut conduit, chaînes aux pieds, sur les lieux et livré aux curieux et à la presse. Cotroni et plusieurs des coaccusés furent acquittés, mais l'« homme de respect » prit des années à se remettre de cette claque en pleine face.

À Montréal, d'autres petits futés tentèrent également l'approche « sous-sol » des banques, mais échouèrent. Si le truc du tunnel semblait éculé chez nous, il en allait autrement en France, plus exactement à Nice. Ainsi, au cours du week-end du 17 juillet 1976, une dizaine d'anciens activistes et soldats de fortune, après avoir joué aux égoutiers pendant des mois et creusé un tunnel de 25 mètres, parvenaient à nettoyer 320 coffrets de sûreté dans la salle des coffres de la Société générale, située à moins de 500 mètres du siège de la Sûreté urbaine. On raconte que le chef de la bande avait été très impressionné par l'exploit de notre Georges Lemay national, diffusé outre-mer par les journaux spécialisés. Ils firent mieux puisque, à ce jour, aucun des membres du gang n'a été pris et que leur chef, après une évasion spectaculaire, court encore.

Il avait sauté de la fenêtre du bureau du juge d'instruction, situé au premier étage, directement sur la moto d'un complice qui l'attendait en bas. « Sans haine et sans violence... », telle était la phrase que nos truands français avaient inscrite sur les murs de la chambre forte qu'ils avaient dévalisée et dont ils avaient soudé la porte pour retarder les recherches. Décidément, ces gars-là étaient organisés. Ils avaient emmené avec eux un expert en bijoux qui les avait convaincus de laisser sur place les pierres précieuses trop connues, susceptibles de les faire repérer et de leur causer des ennuis plus tard. On estima ce casse à 13 millions de nos dollars, mais, là encore, il s'agissait de coffrets et la discrétion était de rigueur. Plus important que le fameux hold-up du train postal de Glasgow, en Écosse, ce vol fut longtemps considéré comme celui du siècle et un film raconte cette rocambolesque aventure.

Cherchez la bombe

On m'excusera ce rappel historique qui, malgré tout, ne nous éloigne guère de notre affaire. On dit souvent que les êtres humains qui ne tiennent pas compte de l'histoire sont souvent condamnés à la répéter. En creusant un tunnel sous la rue Saint-Antoine, notre but n'était pas tant de pénétrer dans la banque que de pouvoir en *sortir* incognito. Nos prédécesseurs avaient couru le risque de se heurter aux systèmes d'alarme installés dans les chambres fortes. Dans le cas de l'affaire Lemay et du coup de Nice, on sait qu'ils étaient inexistants ou inopérants. Mais l'eau avait coulé sous les ponts, les banques avaient appris leur leçon et n'avaient certainement pas manqué de faire appel aux nouvelles technologies. À quoi servait de percer une chambre forte si nous devions nous y faire cueillir les mains dans les tartes, dénoncés par quelque mouchard électronique avertissant en douce le poste de police ?

Notre plan était simple. Après avoir effectué, pendant plusieurs mois, un travail de sape sous les fondations de la banque, un beau matin vers 7 h 30, nous faisions irruption au siège social par la porte du personnel et maîtrisions les employés occupés à compter l'argent dans la *money room*. Nous bloquions les ascenseurs, posions des bombes à chacun des

14 étages de l'immeuble et faisions main basse sur le magot. Pendant ce temps, un de nos complices entrait en communication avec la police de Montréal et lui expliquait que le siège social de la banque était miné, prêt à sauter. Il exigeait que l'on fasse évacuer l'édifice (à l'exception de quelques otages) et que l'on affrète un avion privé à Dorval pour notre usage. Il prétendait que l'un d'entre nous était pilote.

Il demandait aussi que l'on fasse avancer deux fourgons blindés de Sécur, où nous devions prendre place avec les otages pour nous rendre à l'aéroport. Pendant que la police se serait agitée pour satisfaire à nos exigences et que les artificiers se seraient précipités pour désamorcer nos bombes, dans le tunnel un complice aurait achevé de percer le mur à coups de masse et nous, argent en main, aurions filé comme des lièvres. Il ne nous restait alors plus qu'à ressortir par un regard d'égout au-dessus duquel un camion truqué était stationné, et cela presque devant le quartier général de la police – un endroit à l'abri de tout soupçon. Cela nous donnait environ deux heures d'avance.

Les égouts... Nous y avons travaillé quatre mois, de sept heures du matin à quatre heures de l'après-midi. Nous en avons respiré tous les miasmes, dans un air d'autant plus confiné que rares étaient les égoutiers qui venaient travailler dans cette portion ancienne du réseau où nous nous trouvions, à plus de six mètres sous le niveau de la chaussée, et qui datait de 1877. Il devait y avoir tellement de bactéries et de microbes là-dedans que nous avions l'habitude de dire en rigolant qu'ils étaient visibles à l'œil nu et que nous aurions pu les dégommer à la 30-30. Ce fut un combat constant contre l'humidité, la maladie et l'affaiblissement. On aurait dit que toutes les saloperies qui avaient suinté des bas-fonds de Montréal depuis plus d'un siècle s'étaient ramassées là. Dans certaines grandes villes, comme Paris, les touristes visitent les égouts en chaloupe. Je choisirais quant à moi les parfumeries, mais on me dit que c'est néanmoins vivable, car l'eau y circule abondamment et l'entretien y est assuré. Ce n'était pas le cas du vieux collecteur de la rue Saint-Antoine. Je suis de constitution robuste, mais j'ai perdu connaissance une fois et on a dû me remonter à l'aide d'un treuil électrique. On qualifie parfois les égouts d'« entrailles de la ville ». En ce qui nous concerne, j'aurais plutôt appelé ça un rectum.

Un camion pas comme les autres

Lorsqu'on s'évanouit dans un tel cloaque, l'opération de sauvetage ne se déroule pas, on s'en doute, à la vue des badauds. Afin de pénétrer dans les égouts et d'en sortir en toute sécurité, nous avions fait modifier un camion de service comme ceux qu'utilisent les entreprises d'utilité publique. Son plancher était aménagé de manière à pouvoir s'ouvrir et se fermer à volonté. Il suffisait de le stationner sur une plaque d'égout, d'enlever celle-ci grâce à une chaîne montée sur poulie, d'installer une « jupette », c'est-à-dire des panneaux entre le plancher du véhicule et le sol, de laisser tourner le moteur pour masquer tout bruit suspect et de faire ce que nous voulions sous le nez des passants. Cette technique semble empruntée à un épisode de la vieille série télévisée *Mission impossible,* mais la réalité peut dépasser la fiction, et c'est justement l'audace de cette entreprise qui pouvait assurer son succès.

La modification du camion nous avait coûté 35 000 $. Le plus ironique, c'est que nous le garions pratiquement devant le quartier général de la police, au nez et à la barbe de la brigade antigang, non loin de la rue Bonsecours. En entrant tous les matins dans les égouts, nous pouvions voir arriver des policiers pressés de rédiger leur rapport au bureau après une nuit harassante, et écouter leurs conversations sur nos appareils. Nous nous sommes souvent retenus de rire !

Une fois notre regard d'égout ouvert, nous descendions, parcourions environ un mètre et demi, puis trois mètres en direction nord, et débouchions sur le vieux collecteur qui suit la rue Saint-Antoine et qui est droit comme une autoroute. Nous avions dans un premier temps érigé trois *dams,* des petites digues de retenue qui permettaient à l'eau de monter d'environ un mètre et demi, ce qui assurait un niveau d'eau suffisant dans le fond de l'égout, encombré de sédiments et parfois de pierres, pour que nous puissions utiliser nos deux embarcations, des pneumatiques Zodiac à 1800 $ chacun propulsés par de petits moteurs électriques, sans accrocher le fond. Pour arriver aux fondations de la banque, il nous fallait franchir une distance que j'évaluais à deux kilomètres avec du matériel très lourd comme des bonbonnes d'oxygène et d'acétylène, des étais en métal, des panneaux de contre-plaqué articulés avec des charnières, du bois de construction, de l'outillage et même une brouette de chantier, qu'il avait fallu démonter.

Le débit d'eau était soigneusement contrôlé afin d'assurer la fluidité de nos déplacements. Ces mini-croisières souterraines auraient été supportables n'eût été la pestilence qui se dégageait des lieux. Nous passions sous l'un des endroits les plus historiques du centre-ville de Montréal, en particulier pour des gars dans notre genre. Du côté nord, la rue Sanguinet et la rue de Bullion, l'ancien *Red Light,* le quartier chaud de la métropole ; le boulevard Saint-Laurent, où il y avait toujours de l'action pour les petits débrouillards et où les ex-détenus venaient retrouver leurs copains. Du côté sud, le QG de la police, l'hôtel de ville, le vieux palais de justice et le nouveau, la rue Saint-Jacques et la place d'Armes, fief des cabinets d'avocats dont nous avions tous besoin dans notre métier ; le quotidien *La Presse* et, enfin, le siège social de la Banque de Montréal, l'alpha et l'oméga de notre nouvelle course au trésor.

L'équipe était presque la même que pour le coup de l'aéroport : Sourire, Gordie, Normand (un nouveau), Richard, qui devint « expert ès brouette » pour l'aide appréciable qu'il nous apportait pour évacuer la terre du tunnel, et moi-même, le spécialiste des gadgets et de l'électronique. Le travail était assez semblable à celui des mineurs. Il fallait boiser le tunnel à tous les mètres au moyen de panneaux de contreplaqué de trois quarts de pouce, maintenus par des pièces de 2 × 4 et par des étais télescopiques en métal comme ceux dont on se sert dans les sous-sols des maisons. Nous avions pris soin de répartir nos achats dans la région montréalaise et à Toronto : génératrices, radios marines portatives, moteurs électriques, Zodiac, contreplaqué, étais métalliques. Un système d'éclairage et de ventilation sommaire fut installé.

Les caves de la B de M

Nous nous retrouvions le matin vers 5 h 30 dans un restaurant pour camionneurs à Laprairie, en banlieue sud de Montréal, où des filles peu vêtues, aux charmes fanés, nous servaient des petits-déjeuners prétendument érotiques. Nous nous mêlions à la foule des travailleurs et passions inaperçus. La topographie particulière de la région, les routes qui y menaient nous permettaient de semer tout policier curieux qui aurait eu la malencontreuse idée de nous filer. Vers 6 h 30, nous partions pour l'entrepôt loué que nous appelions La Forteresse, auquel nous accédions par un code. Le camion, dont la chaufferette au propane avait été allumée vers cinq heures du matin par Julius, notre chauffeur, qui, une heure avant, avait soigneusement inspecté les lieux en promenant son chien, nous attendait dans la cour intérieure. Cet homme courtaud et chauve, une connaissance de Sourire et de Normand, était peu communicatif, mais je n'étais pas curieux.

Nous nous rendions ensuite, vers sept heures, dans la prolongation de la rue Saint-Denis, non loin de la rue Bonsecours, installions notre camion au-dessus d'un regard d'égout qui se trouvait près d'un stationnement réservé au corps diplomatique et nous descendions dans notre enfer. Nous finissions vers 16 heures, refaisions en sens inverse notre petite croisière nauséabonde, sortions du trou le matériel dont nous n'avions pas besoin, puis, vers 16 h 45, c'était le retour à la Forteresse où nous changions de vêtements. Nous allions ensuite faire laver le camion pour qu'il ait l'air d'un véhicule commercial soigneusement entretenu, et chacun s'en allait chez soi avec le sentiment du devoir accompli.

Une crainte nous habitait : celle que quelqu'un inspecte les égouts durant notre absence. Nous savions de bonne source que personne ne pénétrait dans cette partie du réseau. De plus, les égoutiers ne visitaient en général qu'un seul conduit à la fois, et c'était loin d'être le tour de notre vieux collecteur. Les contacts de Sourire étaient généralement fiables, mais on ne pouvait tabler là-dessus. On dit que les petits détails sont importants puisque c'est par eux qu'on se perd. C'est pourquoi je mis au point un dispositif de protection. J'installai des détecteurs de mouvements à infrarouge branchés sur des montres numériques. Lorsque quelqu'un rompait le rayon, la montre enregistrait l'heure du déplacement. Tous les matins, comme un gardien de sécurité, je relevais les données qui, tout au long de nos travaux, demeurèrent résolument négatives.

Le rassemblement des plans du sous-sol avait nécessité un temps appréciable. Du point de vue topographique, nous avions obtenu certains tuyaux par une connaissance à la Ville de Montréal, des informations sur microfilms qu'il avait fallu visionner discrètement, car on ne pouvait sortir ces documents, classés « confidentiels ». Nous n'avons malheureusement pas pu savoir de quelle épaisseur était la voûte qui nous séparait de la chaussée et des trottoirs à la hauteur de la banque. Par contre, nous avons obtenu une foule de renseignements utiles sur les structures entourant le bâtiment, et cela nous semblait le plus important.

Ces renseignements provenaient de documents de relations publiques que l'établissement bancaire publiait. Nous y avons appris que le siège social de la Banque de Montréal occupait trois édifices. Le premier, dessiné par l'architecte John Wells, avait été construit entre 1845 et 1847, au 119, rue Saint-Jacques. Il est coiffé d'un dôme célèbre représentant un insolite Indien à moustache. Le deuxième se trouve en bordure de la rue Saint-Antoine (anciennement la rue Craig), sous laquelle coulait la petite rivière Saint-Martin, dont nous avons sans doute humé les eaux pourries pendant quatre mois. Le troisième, qui abrite aujourd'hui le siège social de la banque, a été érigé entre mars 1958 et novembre 1960 et comprend 14 étages.

Ses fondations sont ancrées à 15 mètres dans le sol, sous le niveau de la rue Saint-Jacques. Dans le fascicule *Historic Home-coming for Canada's First Bank* publié par la Banque de Montréal à l'occasion de l'inauguration de 1960, on découvre que ce nouvel édifice représente en quelque sorte un retour aux sources puisqu'il occupe le même emplacement que le siège social des origines, qui avait été remplacé par le bureau de poste central de la ville. On mentionnait aussi que les chambres fortes comptaient parmi les plus vastes et les plus sûres au Canada, qu'elles reposaient sur un lit de pierres et que leur superficie était de 6800 pieds carrés, soit 632 mètres carrés. Elles étaient séparées en deux sections, l'une réservée aux coffrets de sûreté des clients et l'autre, à la banque elle-même, et étaient fermées par des portes en acier de 33 tonnes flanquées d'un mur en acier inoxydable.

Ce fascicule confirmait que le terrain où nous avions l'intention de nous enfoncer avait déjà été travaillé, ce qui facilitait la tâche puisque nous n'avions pas besoin d'équipement lourd pour creuser à cet endroit. C'est ainsi que nous avons retrouvé les anciennes fondations de la banque. Sans nous attarder à d'émouvantes considérations historiques, nous avons aisément remué la terre où de lointains travailleurs avaient déjà peiné. On sait qu'un sol qui a déjà été travaillé, où les rochers ont été fragmentés, est généralement moins compact qu'un sol vierge.

Nous avons attaqué les parois en brique de l'égout collecteur à la hauteur de la banque et nous nous sommes débarrassés de la terre en nous en servant pour construire une digue afin d'empêcher que le tunnel ne soit envahi par les eaux.

Une fois terminé, notre tunnel faisait 12,8 mètres de long sur 1,5 mètre de large et autant de haut. Nous étions contre le mur de la banque, d'une épaisseur de près de 60 centimètres. Il ne nous restait que cinq centimètres à défoncer au moment opportun. On me demandera comment je savais cela. C'est que j'étais allé repérer l'intérieur de la banque grâce à une caméra dissimulée dans une valise et déclenchée par une télécommande que je gardais dans ma poche. Je filmais les couloirs qui menaient à la *money room,* la salle où deux ou trois employés comptaient l'argent. Gordie et moi avons eu assez souvent la possibilité de parler au personnel, d'ailleurs très affable, pour nous donner le temps de mesurer visuellement l'épaisseur des vitres blindées, ce qui m'a permis de calculer les charges explosives que je devais installer advenant le cas où il y aurait des portes à faire sauter.

Nous savions par notre taupe de Sécur que la *money room* contenait parfois jusqu'à un demi-milliard en argent, parce que certains chargements, comme ceux à destination de Québec, pouvaient varier entre 60 et 80 millions. Deux transporteurs de fonds se partageaient le travail : Sécur et, dans une moindre proportion, Loomis. Nous avions relevé les heures auxquelles les convoyeurs arrivaient, par exemple vers 8 h 30. Comme nous ne voulions pas les avoir dans les jambes, il nous fallait donc arriver plus tôt.

À quelques mètres du saint des saints

Certaines personnes trouveront insolite le fait que nous pouvions impunément nous promener dans les sous-sols de la banque. D'abord, il faut dire que celle-ci emploie de nombreuses personnes. En ce qui me concerne, je revêtais un habit classique d'homme d'affaires et portais mon attaché-case truqué à la main. Aux yeux des employés des sous-sols, je pouvais passer pour un quelconque patron des étages supérieurs. Il fallait avoir un certain « front de beu », beaucoup d'assurance pour en imposer aux gardiens et au petit personnel, mais cela faisait partie du jeu. C'est ainsi que j'ai réussi à traverser les différents contrôles et à me retrouver pratiquement à la porte du saint des saints : la *money room*. Un jour, j'ai particulièrement été surpris lorsqu'un gardien, en me voyant arriver avec ma valise, a réagi tel un robot et m'a ouvert la porte. Un peu plus et il claquait des talons comme les soldats. C'est beau, la discipline.

Près de la mythique salle où l'on comptait les millions, je pouvais voir plus loin et deviner les obstacles possibles. Je pus également comparer mes observations avec les plans que la taupe de Sécur avait remis à Sourire ou à l'un de ses acolytes, il y avait déjà quelques années, tâche essentielle, car ces plans pouvaient être désuets. J'ai remarqué, par exemple, qu'il y avait trois salles. Pour passer de l'une à l'autre, on ouvrait la porte, on la fermait, puis on ouvrait la suivante. Cela fonctionnait à la manière d'un sas de sous-marin. En examinant les serrures, je compris vite que, pour un siège social de banque, il n'y avait pas là de quoi susciter l'admiration des technologues, car il était relativement facile de forcer ces portes. Un certain matin, j'ai même constaté que les fameuses serrures ne fonctionnaient pas ! Je fis deux visites principales d'exploration : une fois pour filmer et une fois pour contre-vérifier les renseignements. La deuxième fois, Sourire et Normand m'accompagnaient.

De notre tunnel, nous avons mesuré l'épaisseur du mur à l'aide d'un foret à béton et d'une petite perceuse manuelle, afin de ne pas faire de bruit. Il nous a fallu 17 heures pour traverser le mur. Nous avons su que notre but était atteint lorsqu'un rai de lumière est apparu. Le lendemain matin, Normand s'est rendu dans le sous-sol de la banque muni d'un *walkie-talkie* à haute fréquence que nous avions loué chez Locatel. C'était le seul moyen de communiquer à travers le béton. Il a repéré le petit trou, qui se trouvait en face des coffrets de sûreté et que l'on pouvait atteindre en se hissant sur la pointe des pieds. Nos calculs étaient bons. Nous les avions basés sur le nombre de marches du sous-sol et sur l'épaisseur du plancher que nous avions pu mesurer grâce aux conduits de chauffage.

Du tunnel, j'ai introduit une baguette à souder dans le trou, qui aboutissait à une trentaine de centimètres du plafond (à un peu plus de deux mètres du plancher), assez bas pour qu'il soit possible de l'atteindre de la main, mais trop haut pour être repéré, car la plupart des gens qui se promènent dans ces lugubres corridors regardent devant eux ou par terre. De son côté, Normand a bloqué la baguette avec un paquet de cigarettes ; j'ai fait une marque, puis ai mesuré : le mur faisait 23 1/4 pouces, soit tout près de 60 centimètres. Il a suffi de reboucher le trou avec de la pâte à calfeutrer et de la poussière de ciment. Il nous fallait creuser une cinquantaine de centimètres de façon à ne laisser que sept ou huit centimètres. En défonçant le mur, nous tombions près de la salle de comptage, avec ses centaines de millions jonchant les tables. Nous savions que guère plus de deux personnes comptaient l'argent et le plaçaient dans des pochettes en plastique avant de le déposer sur des chariots. Nous savions aussi que les convoyeurs de Sécur attendaient à l'extérieur. À une certaine époque, ils pénétraient dans le saint des saints, mais la procédure avait été modifiée.

Mais nous n'en étions pas là. Parvenus au mur des fondations du sous-sol, il nous fallait encore couper à l'acétylène des poutrelles d'acier en H qui renforçaient la structure, mais nuisaient à nos travaux. Nous comptions avoir raison des 50 centimètres de béton à l'aide de *burning bars* en magnésium ou lances thermiques. La durée de vie de ces lances n'était que de deux minutes, mais nous en possédions une soixantaine, de quoi percer un blockhaus ! En effet, bien que ces redoutables outils ne durent que deux minutes, rien ne leur résiste. On s'en sert dans les chantiers maritimes pour couper les hélices des navires sous l'eau. Elles passent facilement à travers la brique et le ciment et ont un avantage certain : une personne adossée à un mur de ciment attaqué à la lance thermique n'est incommodée par la chaleur que lorsque le bout incandescent se trouve à cinq centimètres d'elle. À cette distance, la peinture du mur ne s'écaille même pas ! Il suffisait de nous ménager d'avance un passage à la lance, de ne pas enlever plus de 50 centimètres de béton et, le jour du hold-up, une fois les sacs d'argent en main, de demander par radio à un complice resté dans le tunnel de défoncer les quelques centimètres restants à coups de masse pour que nous puissions nous évanouir, très riches, dans notre égout, en pensant aux policiers occupés à répondre aux signaux d'alarme qui ne manqueraient pas de sonner au poste de police, aux lumières des panneaux, qui feraient un effet d'arbre de Noël, et à désamorcer nos bombes, que j'avais prévues assez vicieuses pour donner du fil à retordre aux artificiers. Une vraie corrida !

Le ciel sur la tête

Tout semblait aller selon nos plans. Nous avions décidé le coup après les fêtes de 1992 et étions arrivés à mars 1993. Comme les légendaires Gaulois, une seule peur nous hantait : que le ciel nous tombe sur la tête. Et c'est justement ce qui arriva ! Un beau matin, nous avons constaté que la voûte de notre tunnel s'était effondrée et que l'air frais s'insinuait dans notre excavation. Une telle éventualité est déjà tragique dans une mine, où on peut pourtant prendre des dispositions au vu et au su de tous, avec l'aide d'une main-d'œuvre spécialisée, d'ingénieurs, et recourir à de l'équipement lourd. Étant donné la nature de nos activités, il nous était impossible de mobiliser de tels moyens. Je me suis alors dit : « Ton chien est mort ! » Par mesure de sécurité, nous avons arrêté les travaux, remonté les pièces à conviction les plus compromettantes et nous nous sommes tenus sur le qui-vive. Que s'était-il passé ? Nous n'avons pas tardé à le savoir.

On dit que le printemps joue des tours aux amoureux. Le printemps québécois – ou du moins la saison qui en tient lieu –, sans être dénué de poésie, est absolument imprévisible. Nous le savions pertinemment, mais n'avions peut-être pas accordé suffisamment d'attention à ce fait dans notre planification. Journées de gel et de dégel se succèdent, et le sous-sol, où se forme selon les endroits un bloc de glace compact pouvant descendre jusqu'à une profondeur de 60 centimètres et plus, se fendille, se dilate, se contracte, se soulève. Les services de voirie en savent quelque chose. Ils ne cessent de réparer la chaussée remplie de nids-de-poule ou, au contraire, parsemée de « ventres de bœuf, ces protubérances inquiétantes, cauchemar des usagers de la route, car ces déformations de l'asphalte faussent le parallélisme des roues des véhicules et défoncent leurs amortisseurs. Rien ne résiste à la glace, surtout lorsque le Bonhomme Hiver, qui regrette toujours de nous quitter, revient nous visiter pendant quelques jours. Cette fois-là, le printemps nous avait pris pour victimes et, dans notre cas, pauvres pécheurs, il était difficile d'envoyer une lettre de réclamation au Grand Patron.

Vers 7 h 30, le 5 avril, une employée de la banque signalait une « situation dangereuse » sur le trottoir de la rue Saint-Antoine. L'un des arbres de cette rue, dont le tronc ne dépassait pas les 10 centimètres de diamètre et qui poussait comme à regret dans un encadrement de ciment, semblait avoir rétréci d'un bon mètre avec la fonte des neiges. En fait, il s'enfonçait dans un trou béant qui, selon les témoins, « sent le diable ». Les curieux confirmèrent la présence d'une odeur pestilentielle qui montait des entrailles de la terre. Les égoutiers montréalais décidèrent d'aller y voir de plus près.

La théorie du chaos

Il semble que le va-et-vient d'une chenillette de la ville, qui s'affairait à déblayer la neige, ait aggravé l'action du dégel en ébranlant la structure souterraine du trottoir. Nous avons appris plus tard que la manière négligente dont les cols bleus municipaux avaient planté l'arbre était en partie responsable de l'effondrement. Ces braves gens, bien rémunérés compte tenu de leurs compétences qu'on dit limitées, amateurs de grèves à répétition et de prise en otage d'un public qui n'apprécie guère leur numéro dans un monde où des gens bardés de diplômes sont souvent sans travail, n'avaient apparemment pas suivi les règles. Bref, selon les journaux, ils avaient tourné les coins ronds en plantant l'arbre. Celui-ci avait défoncé le plafond de notre tunnel, qui s'était écroulé avec nos rêves. J'espère que les individus concernés n'ont pas demandé, par l'intermédiaire de leur syndicat, une prime à la Ville pour avoir fait avorter le vol du siècle... Mais trêve de plaisanteries, car je risque de me retrouver avec un grief de ces messieurs sur les bras !

Sur un ton plus sérieux, disons que, depuis la plus haute Antiquité, on sait qu'un accident n'est que le concours d'un faisceau de circonstances imprévisibles. Tout le monde connaît quelqu'un qui, malgré sa prudence, se trouvait au mauvais endroit au mauvais moment pour encaisser un mauvais coup. On a beaucoup raconté le cas de ces héros de la Seconde Guerre mondiale qui, après avoir survécu à des situations incroyablement dangereuses sur le champ de bataille ou dans la clandestinité, une fois la paix revenue, se sont fait bêtement écraser par un autobus ou se sont empoisonnés en mangeant des moules avariées.

Si l'arbre avait été convenablement planté, si le sol n'avait pas dégelé, si la chenillette n'avait pas passé, les choses auraient pris une autre tournure. « Avec des si, on va à Paris », affirme la sagesse populaire, mais il faut dire que j'ai eu ma part de « si » au cours de mon existence aventureuse, et plus qu'à mon tour. Vous souvenez-vous des flics à moitié endormis dans leur auto-patrouille derrière la maison Addison ? Ces braves agents de la paix auraient dû normalement être en train de chanter la pomme à la serveuse du Dunkin' Donuts. Mais non.

Ils se trouvaient au mauvais endroit au mauvais moment... Peut-être ont-ils, comme ils disent dans leur jargon, récolté des bananes, c'est-à-dire pris du galon, en récompense de leur vigilance. Bref, pour notre malheur, ceux-là avaient fait leur boulot. Comme quoi, conscience professionnelle ou pas, il semble que l'accident relève de la théorie du chaos, que des scientifiques un peu facétieux ont d'ailleurs mis en équation. Les amateurs de mathématiques apprécieront, à toutes fins utiles, cette dernière : Z (n+1) = Z (n)2 + C.

Les supputations des médias

« Des voleurs sont venus bien près de dévaliser la Banque de Montréal », titrait *La Presse* du 6 avril 1993. « Bank burglary uprooted by sinking tree » (Un cambriolage de banque compromis par l'enfoncement d'un arbre), titrait pour sa part *The Gazette. Tous* les reporters y allaient de leurs suppositions. Dans *La Presse* et *Le Journal de Montréal,* un contremaître de la Ville de Montréal, Roger Gaudreault, n'en revenait pas. « En 29 ans de carrière, je n'ai jamais rien vu de tel. C'est comme dans les films de bandits ! » confiait-il aux reporters. « Ces gars-là connaissaient leur affaire. Ça ressemble à une vraie mine... », ajoutait l'un de ses subordonnés qui avait visité le tunnel le premier.

Le reporter de *La Presse,* Éric Trottier, écrivait : « Il y a une quarantaine de bouches d'égout dans ce secteur, aussi bien dans les rues passantes du Vieux-Montréal que dans les ruelles, et toutes sont reliées au collecteur de la rue Saint-Antoine. Selon des porte-parole de la Ville, les voleurs ont très bien pu choisir une bouche située dans une des petites rues au nord de Saint-Antoine. Bloquées par l'auto route Ville-Marie, elles sont pratiquement inutilisées donc très discrètes. » Bref, tout ce beau monde n'était pas loin de la vérité. « Non, ce ne sont pas des deux de pique qui ont organisé ça », s'était exclamé le lieutenant-détective Donald Côté qui avait ajouté que, si nous avions réussi à percer le mur de béton, il nous restait encore une douzaine de mètres avant d'atteindre le saint des saints. Il en avait conclu qu'il nous aurait fallu au moins encore deux semaines de boulot pour arriver à nos fins, ce qui n'était pas le cas. On a beau dire, la reconnaissance d'un travail professionnel par un adversaire fait toujours plaisir, même si la consolation est bien mince. Après tout, les cambrioleurs et braqueurs ont aussi leur fierté.

Sur notre chantier, la police a retrouvé des lances thermiques, des bouteilles d'oxygène et d'acétylène, des pics, des pelles, des outils modifiés, une antenne de télécommunication, un bidon d'essence en plastique rouge et, un peu plus tard, nos deux Zodiac en bien piteux état. C'était ce qui restait de notre matériel ; ce que nous avions sorti avait été nettoyé et prestement revendu, dont les petits moteurs électriques qui propulsaient nos canots.

Dans le *Photo-Police* du 16 avril 1993, on énonçait les hypothèses suivantes : « 1. Les auteurs de ce cambriolage avorté devaient posséder le plan de l'édifice bancaire pour déterminer, en outre, la hauteur de la voûte par rapport à l'égout fluvial. Le tunnel creusé arrivait à la hauteur précise de la chambre forte. 2. Ils devaient avoir aussi le plan souterrain de la ville dans cette région. 3. Quelqu'un dans leur groupe devait savoir lire les plans ; un ingénieur par exemple. 4. Un indicateur devait bien connaître l'intérieur de la banque. 5. Enfin, une personne de l'intérieur devait certainement se charger, à l'instant convenu, de neutraliser le système d'alarme. Sinon on se doute bien que, dès le premier coup de pic dans le mur, l'alarme aurait été déclenchée. Ça, les cambrioleurs ne pouvaient l'ignorer. » Là encore, le journaliste ne se trompait guère. Il était à côté de la plaque pour les seuls points 3 et 5. Pas besoin d'ingénieur (un technicien en électronique sait lire des plans) et pas besoin non plus de neutraliser le système d'alarme puisque nous devions fuir par les sous-sols de l'établissement.

Il est toujours amusant de voir les réactions des étrangers – les journalistes, comme la police – aux actions dont nous sommes les auteurs. Dans *La Presse* du 7 avril, Éric Trottier notait que la police centrait son enquête sur quatre volets : 1. Combien de temps avions-nous besogné sous terre ? Quand avions-nous commencé et arrêté les travaux ? 2. Pourquoi nous étions-nous soudainement arrêtés ? 3. Qui étaient les suspects ? Qui leur avait fourni les informations sur le réseau d'égouts et sur les plans de la bâtisse ? Qui avait financé ce projet d'envergure ? 4. Comment avions-nous prévu neutraliser le système d'alarme de la banque, une fois à l'intérieur ?

Le journal évoquait la possibilité que des perceurs de chambres fortes de banques associés à la redoutable bande de l'Ouest, célèbre à Montréal depuis l'époque de Pax Plante, à la fin des années quarante, pouvaient être les *culprits*, c'est-à-dire les coupables, dans cette affaire. Leurs derniers faits d'armes remontaient à 1989, lorsque certains de ces spécialistes s'étaient fait prendre à Boston. Les policiers tentaient de voir si ces casseurs étaient encore à l'ombre ou s'ils avaient repris du service.

Bref, la police nageait en plein cirage. Puis, l'affaire se tassa et les journaux ne tardèrent pas à s'en désintéresser. Quant à savoir qui étaient les sapeurs dans cette affaire, tous pouvaient aller se rhabiller. Ce ne sera que lors du procès pour le coup du fourgon blindé de Sécur, en 1994, que le mystère sera élucidé, grâce aux renseignements que je donnerai. J'ai su par des policiers que si certains de mes complices avaient été suspectés, mon nom n'était jamais sorti avant que je fournisse la clé de l'énigme.

La détresse de l'échec

Et la banque ? demandera-t-on. La spécialité d'une banque, c'est d'être comme la tombe. Vous imaginez-vous une banque admettre que l'argent et les valeurs de ses clients sont mal protégés ? Ce serait en vérité une piètre publicité. Les banquiers, comme les médecins, enterrent leurs morts ensemble et ne font pas de commentaires. Les journaux parlèrent de titanesques portes de 33 tonnes, de murs d'acier inoxydable, bref rien pour nous effrayer dans les conditions que nous avions prévues. Une représentante de la Banque de Montréal, Suzanne Michaud, a parlé abondamment du fait que les voleurs n'étaient pas au bout de leurs peines. Elle a décrit sommairement les systèmes électroniques sophistiqués qui n'auraient pas manqué de se déclencher dès que nous aurions défoncé le mur. Bref, des généralités lénifiantes, car je savais pertinemment, pour avoir visité les lieux, que leur système de protection, du moins à l'époque, laissait grandement à désirer. Le reste n'était qu'une question de relations publiques.

Cette bonne dame a refusé, on s'en doute, de révéler le montant qui se trouvait dans la salle de comptage pleine de sacs et de petits chariots. « Nous sommes au siège social de la Banque. Je vous laisse tirer vos propres conclusions... », s'était-elle contentée de dire. Des journalistes parlèrent de 75 à 100 millions de dollars. De source très sûre, j'avais appris qu'au jour J plus de 200 millions de dollars devaient se trouver dans cette pièce magique. Deux cents millions qui nous échappaient ! Plus d'argent qu'aucun joueur de casino, qu'aucun parieur de loterie, qu'aucun chasseur de trésor ne pouvait concevoir. Ce « job du siècle », s'il avait abouti, aurait remporté le championnat du défonçage de banque toutes catégories, et les Français de Nice, avec leur casse de 13 millions de dollars, auraient été facilement battus (remarquez que cela était déjà fait avec le coup de l'avion blindé).

Rafler 200 millions est une action extrême que seuls quelques individus dans le monde peuvent se vanter d'avoir réalisée. Ce rêve s'était envolé à cause d'un stupide petit arbre comme il y en a des millions au Québec et, bien entendu, d'autres circonstances que je qualifierais d'« exténuantes ». Dans une émission sportive bien connue, qui fait fureur sur l'une des grandes chaînes américaines de télévision, on nous montre, en direct et en gros plans, les jubilations des vainqueurs et la déconvenue, parfois sanglante, des perdants (par exemple, le skieur de descente qui « explose » à 120 km/h et qui se disloque). Dans une expression devenue familière au fil des ans pour tous les amateurs de sports du continent, cette dernière éventualité est décrite comme « *the agony of defeat* » (la détresse, le supplice de l'échec). C'est ainsi que nous nous sentions lorsque le putain de plafond s'est effondré...

De tels événements vous font vieillir de 10 ans en quelques heures. Lorsque des sommes aussi considérables sont en jeu, pour des braqueurs dans notre genre, on se dit toujours qu'il s'agit du dernier coup, du régime de retraite (non enregistré) qui nous assurera de quoi devenir discrets et qui nous permettra de jeter nos armes dans le fleuve. Pour nous, chaque coup est une sorte de loterie, à la différence près que les chances de gagner ne sont pas infinitésimales et que notre mise de fonds ne constitue pas un impôt volontaire. Tout le monde connaît le slogan qu'emploie Loto-Québec pour attirer les gogos : « Un jour, ce sera ton tour ; peut-être... » Nous, les mauvais garçons, répondons d'accord, mais avec le petit coup de pouce illégal que nous comptons bien donner à la roue de fortune pour qu'elle daigne s'arrêter sur notre numéro. La comparaison s'arrête là. Nos risques sont plus grands que de nous faire soutirer quelques dollars de plus par l'État. En effet, nous jouons avec les poignées de notre cercueil, car nous pouvons encaisser de la ferraille volante en pleine gueule ou encore gagner un bail à long terme dans une chambre aux fenêtres et aux portes ornées de motifs en fer forgé qui n'ont rien d'artisanal – la mort lente en somme.

« *The agony of defeat* »... Seuls les gens d'affaires qui voient le gros contrat qui devait les sauver de la faillite leur échapper ou encore le cadre ou l'employé qui croyait son emploi permanent, qui s'attendait même à une promotion, mais qui se retrouve sur le trottoir à 50 ans, me comprendront. On me dira que notre affaire n'était pas honnête et que, par conséquent, la morale est sauve et qu'on ne saurait comparer l'échec d'une action tombant sous le coup de la loi aux malheurs que vivent quotidiennement travailleurs et petits entrepreneurs. C'est vrai, mais y a-t-il plus de morale dans le coupe-gorge de la sacro-sainte « compétitivité » des marchés, où l'ouvrier de chez nous doit concurrencer le travail des enfants du tiers-monde ? Y a-t-il plus de morale dans la manipulation inhumaine du personnel par de gras affairistes ? Je ne suis ni philosophe ni sociologue, mais on me permettra tout de même de poser ces questions.

Un regard d'égout bien banal, par lequel nous descendions creuser notre tunnel sous la Banque de Montréal, au nez et à la barbe des agents de la brigade antigang, logés dans le bâtiment à gauche sur la photo.

Mini croisière pestilentielle le long d'un vieux collecteur...

Descente en quasi-glissade dans les entrailles de la ville et réception plutôt humide dans un boyau.

L'entrée de notre tunnel, pratiquée dans la voûte de l'égout (à droite).

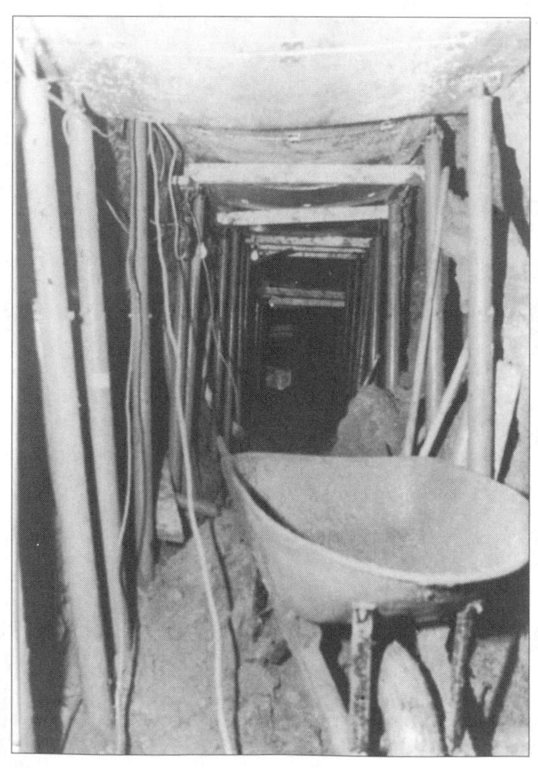

Le tunnel proprement dit, d'une longueur de 12,8 mètres, soutenu à l'aide d'étais télescopiques.

Le petit trou de voyeur que nous avions percé à 2,16 mètres du plancher du sous-sol de la Banque de Montréal nous avait permis de mesurer l'épaisseur du mur entre notre tunnel et le corridor donnant accès au trésor. Quelques coups de masse nous séparaient de 200 millions de dollars en espèces.

L'arbre mal planté, près de l'entrée de service du siège social de la Banque de Montréal, qui a tout fait rater lorsqu'il s'est enfoncé sous terre.

Le branle-bas des employés de la Ville de Montréal après la découverte de cette anomalie.

Au ras du mur de la banque, voici ce que nous avons vu lorsque le ciel nous est tombé sur la tête : une grosse motte gelée contenant les racines du petit arbre, ainsi que le dessous de la structure du trottoir de la rue Saint-Antoine (à gauche).

Triste fin pour un Zodiac de 1 800 $ avant taxes, retrouvé au fond de notre égout par la police.

PRIX DE CONSOLATION 47,7 MILLIONS DE DOLLARS

Dans notre métier, nous sommes comme les sportifs : la détresse de l'échec tout comme les états d'âme ne sauraient s'éterniser, surtout lorsqu'on conserve ce bien précieux qu'est la liberté. Nous savons très bien que les établissements financiers qui contrôlent l'argent, qu'un vieux cliché désigne comme étant le nerf de la guerre et de la politique, n'arrêtent pas de vivre. Ils haussent les taux d'intérêt jusqu'à ce que le public hurle de douleur, desserrent leur étreinte de un ou deux pour cent, puis attendent les remerciements serviles de leurs victimes. « Merci beaucoup, messieurs les banquiers, de nous laisser patauger dans la merde juste au ras des narines afin que nous puissions continuer à respirer et à vous payer des intérêts... », semblent dire les citoyens ainsi exploités.

Les fléaux de Sécur

Cela ne se passe pas de manière aussi crue, voyons ! Dans les temples de la finance, tout est aseptisé. Le personnel ne blasphème pas et porte complets et cravates. Les huiles encaissent des salaires faramineux, en lien avec les profits monstres réalisés par la maison au détriment des petites entreprises et d'une population surendettée. Pas besoin de détenir une M.B.A. pour le constater dans les pages financières de tout quotidien. Or ces prédateurs légitimés par la loi ont leur contrepartie, les détrousseurs de banques de notre espèce, qui les délestent d'une infime partie des biens qu'ils ont acquis au prix du sang et des larmes d'autrui. Cela remonte à la nuit des temps. Que cela nous plaise ou non, les grands prédateurs comme les petits sont des entités absolument amorales. Seules leurs méthodes diffèrent. Voilà pourquoi, dans tous les pays, la population ne verse pas de larmes quand, d'aventure, une banque est proprement plumée. Souvent, les gens applaudissent, comme s'il s'agissait d'une belle passe au hockey ou au football. Ils ne protestent – et avec raison – que lorsque le recours à la violence fait d'innocentes victimes.

Songeant à tout cet argent qui roule dans de jolis fourgons blindés, gardés par de pauvres diables mal payés, nous avons du mal à résister à la tentation de recommencer. Nous sommes encore prêts à miser sur cette dangereuse loterie aux risques calculés. Voilà pourquoi, moins de deux mois après le fiasco du tunnel, tels nos ancêtres les voleurs de diligences, nous remontions en selle et chevauchions vers de nouvelles aventures. Une fois de plus, nous allions devenir pour Sécur ce que certains journaux anglais qualifiaient de *scourge*, le fléau des convoyeurs de fonds, la Némésis.

Le coup de l'avion blindé, impuni, s'était révélé relativement profitable. Il fallait toutefois se garder de récidiver selon les mêmes procédés, car les convoyeurs et les responsables aéroportuaires avaient dû imaginer des parades pour contrer toute nouvelle agression à main armée sur leurs terrains de Dorval. Cela n'empêchait pas les fourgons de circuler et, pour changer de tactique, c'était à l'un de ces camions qu'il fallait nous attaquer. Je gardais le contact avec Gordie, Sourire et Normand, que Sourire m'avait présenté en 1992 et que j'avais déjà rencontré à la prison de Bordeaux dans les années soixante.

Après notre échec du printemps, nous devions nous revoir presque tous les jours et ensuite deux ou trois fois par semaine, jusqu'à l'attaque d'un fourgon bien garni. À l'origine, nous avions choisi de faire notre coup le 1er juillet, car nous avions reçu un tuyau: tous les corps policiers de l'ouest de l'île de Montréal (où nous comptions accomplir notre braquage) avaient été mobilisés pour encadrer une manifestation sportive en l'honneur des gagnants de la coupe Stanley. Malheureusement, Gordie dut être hospitalisé à la suite d'une crise d'appendicite aiguë, et l'affaire fut remise au 8 du même mois. Comme quoi le destin suit parfois de bien étranges chemins...

C'est Sourire qui obtenait les renseignements, apparemment grâce à sa fidèle taupe de chez Sécur. Depuis l'affaire de 1990, nous savions que l'avion blindé utilisait une autre piste et que le fourgon, rempli de sacs d'argent, s'arrêtait dans la nuit du mercredi au jeudi dans un centre de tri de la Société canadienne des postes. Cette fois-ci, nous avions obtenu des renseignements particulièrement intéressants: d'abord, les fréquences exactes sur lesquelles les convoyeurs émettaient avec leurs *walkies-talkies* et leurs radios, qui fonctionnaient sur la bande commerciale en modulation de fréquence; ensuite, l'épaisseur exacte des portes et des vitres blindées du fourgon.

C'est ainsi que j'ai pu fabriquer deux brouilleurs d'ondes, soit un pour chaque système de transmission, pour que les convoyeurs ne puissent pas communiquer avec la centrale. Je pense me souvenir que l'une des fréquences était de 155 et l'autre de 168-300 mégahertz, une vieille fréquence qu'ils avaient déjà utilisée en 1990. J'ai acheté deux radios programmables, des transmetteurs de 25 watts que j'ai fait programmer tous deux sur la même fréquence. Je passerai sur les détails techniques. Disons qu'il suffit d'un élément piézo-électrique à 1,75 $ et de quelques modifications dans ces appareils pour neutraliser toute transmission par un brouillage strident de forte puissance. Tant que l'on émet ce signal à haute amplitude, au chapitre des communications c'est le vide pour les convoyeurs. Pour déclencher ce brouillage, il suffit de brancher les deux appareils dans la prise de l'allume-cigare d'un véhicule. Nous avions prévu que, le jour de l'attaque, ils seraient installés dans la camionnette que Sourire devait conduire avec l'assistance de Normand.

Un laboratoire en plein air

Il fallait tenir compte d'autres facteurs importants. Nous savions que le chauffeur et son aide étaient séparés du troisième convoyeur, qui se trouvait dans le compartiment arrière dont ils n'avaient pas la clé. Au centre de tri, que nous appelions le bureau de poste, l'aide du chauffeur donnait un coup de main pour charger et finissait le trajet avec son compagnon dans le compartiment au magot. Le conducteur du véhicule se retrouvait donc seul. Au cas où il résisterait, il me fallait doser une petite charge pour ouvrir sa porte, plus une autre pour le compartiment arrière, quitte à terminer le travail à la pince-monseigneur.

En connaissant l'épaisseur des portes et des vitres blindées (renseignements fournis par notre informateur), je pouvais calculer les charges d'explosifs nécessaires pour faire sauter les charnières des portes et défoncer les vitres sans blesser personne. Afin que nous puissions nous préparer, Sourire et Normand sont allés commander des éléments semblables chez un fabricant spécialisé de Longueuil qui ne s'est pas montré curieux. Grâce aux spécifications que nous possédions, on aurait pu s'y méprendre. Seule la serrure avait été remplacée par un gros point de soudure qui offrait la même résistance.

Les expériences ont eu lieu pendant deux ou trois semaines dans notre « laboratoire », un boisé de Saint-Sulpice, près de l'Assomption, un endroit isolé comportant un petit étang, où nous pouvions aller jeter les preuves compromettantes.

La circulation de l'autoroute, relativement proche, couvrait le bruit des explosions. Cela a pris un certain temps, car nous avions commandé du C-4 et, en fin de compte, reçu seulement une sorte de poudre à canon qui faisait plus de fumée que de dommages. Comme je l'ai déjà mentionné, je refusais de travailler avec de la dynamite qui, si elle n'est pas fraîche, se cristallise, suinte et devient instable.

Les explosifs courent (parfois) les rues

Que l'on me permette d'ouvrir une parenthèse. On se surprendra de la facilité avec laquelle les différents groupes criminels semblent pouvoir se procurer des explosifs. Il suffit de voir les feux d'artifice que les motards se payent depuis deux ans dans des établissements rivaux pour comprendre qu'il ne s'agit pas de bombes artisanales fabriquées avec de la vieille poudre récupérée en vidant des cartouches de fusil de chasse. Comme je l'expliquais au journaliste Guy Brouillette, dans le cadre de l'émission *J.E.* au réseau TVA, à laquelle je participais : « Dans le milieu criminel, il est plus facile de se procurer des explosifs que des armes à feu. »

Au cours de cette émission, j'ai appris, entre autres choses, que bien que le Québec soit la province canadienne la plus sévère en matière de contrôle des explosifs, on parvient tout de même à en voler avec une facilité déconcertante. Quelque 20 000 personnes physiques ou morales (exploitations minières, entrepreneurs en travaux publics, carriers, etc.) sont détentrices d'un permis général d'utilisation d'explosifs. Ces derniers sont gardés dans des entrepôts dont les clés s'égarent parfois ou encore dans des containers d'acier non surveillés dont il suffit de forcer la porte.

Pour les amateurs de statistiques, disons qu'en 1994-1995 on a déploré 4 vols principaux pour un total de 1 212 kilos d'explosifs, ainsi qu'un nombre appréciable de détonateurs. Sachant qu'une caisse de dynamite de 25 kilos contient 100 bâtons, on comprend qu'il y a de quoi faire quelques pétards. Et cela sans parler des petits vols. Toujours à l'émission *J.E.*, deux représentants de la Société de l'énergie explosive du Québec ont souligné qu'il suffisait qu'un ouvrier peu scrupuleux vole un seul bâton de dynamite par jour pour qu'en fin de compte ces petits larcins se transforment en grandes explosions.

On me dira qu'il existe des contrôles. Mettez-vous à la place d'un magasinier qui découvre, par exemple, la disparition de cinq bâtons de Gelatine Giant (mon explosif fétiche). Va-t-il se précipiter chez son patron pour faire un rapport ? Peut-être, mais étant donné qu'il risque d'être blâmé pour cette disparition, il y a de fortes chances qu'il couvre le compagnon de travail aux doigts crochus qui les a volés.

Tous ces petits bâtons se retrouvent entre des mains non autorisées, et je suis persuadé qu'il s'agit là de commandes ponctuelles. Quant aux gros vols d'explosifs, ils sont non seulement plus spectaculaires, mais sans doute aussi les plus dangereux, et cela surtout s'ils ne sont pas commandités par le crime organisé. Par exemple, sans commandite préalable, de petits voyous qui prendraient l'initiative de voler disons 200 kilos de dynamite auront probablement toutes les peines du monde à écouler leur camelote. Il faut d'abord qu'ils trouvent les clients. Ceux-ci doivent avoir besoin de la marchandise à ce moment précis et faire confiance à nos *punks.* On trouve alors sur ce singulier marché des explosifs « défraîchis » et donc relativement instables. Voilà pourquoi les clients « sérieux » savent fort bien où aller chercher ce dont ils ont besoin.

En résumé, les vols d'explosifs font peut-être la manchette mais n'expliquent rien, car la majorité des organisations criminelles n'ont pas à recourir à des stratagèmes à petite échelle, comme nous le faisions à l'époque. Elles s'arrangent pour faire partie des 20 000 heureux détenteurs de permis. C'est ainsi qu'on a récemment découvert qu'un groupe de motards possédait un permis dit de boutefeu, c'est-à-dire d'utilisateur d'explosifs. Sans doute était-ce pour célébrer le Carnaval de Québec ou le Nouvel An chinois... Dans un monde où le blanchiment d'argent est pratique courante, qui empêche la Cosa Nostra ou les Hell's Angels d'acheter en toute légalité une carrière, une entreprise de travaux publics ou encore d'engager un chimiste compromis ou toxicomane pour fabriquer ce dont ils ont besoin ?

Il n'est donc pas étonnant que, ces derniers temps, les histoires de bombe fassent la une des quotidiens et que les règlements de compte à coups de revolver soient relégués en troisième page. La popularité des explosifs découle du fait qu'un utilisateur sérieux en détient constamment le contrôle, et ce, de la manière la plus discrète. Il en va autrement dans le cas des armes à feu, qui attirent l'attention, possèdent un historique et laissent des traces plus faciles à identifier.

Tant que les explosifs demeurent entre les mains des professionnels du crime, les dommages qu'ils causent sont en général limités. Je déplore l'usage irrationnel qu'en font les amateurs. Par exemple, alors qu'un seul bâton suffirait pour faire sauter une voiture, ils vont coller jusqu'à 12 kilos d'explosifs sous le véhicule, ce qui arrose tout le voisinage. Leurs appareils sont souvent si mal montés qu'un avion qui passe peut déclencher le dispositif électronique de mise à feu.

Dans ce domaine comme dans d'autres, tout le monde se prétend expert. Ce qui est plus grave, c'est que les dérapages des amateurs font d'innocentes victimes, comme ce jeune garçon qui a eu le tort de passer près d'une Jeep piégée[1]. Cet incident révoltant nous rappelle les actes d'extrémistes du Proche-Orient ou du Maghreb. Il a certainement contrarié les commanditaires, qui n'aiment guère se retrouver dans le faisceau des projecteurs de l'actualité. Je peux vous parier n'importe quoi que le type qui a commis cette bavure n'est

1. Il s'agissait de Daniel Desrochers, 11 ans, qui a été grièvement blessé et qui a succombé à ses blessures trois jours plus tard. La tragédie est survenue le 9 août 1995, au coin de la rue Adam et du boulevard Pie-IX, à Montréal.

plus de ce monde. Les morts ne parlent pas, et ce silence constitue une protection pour les groupes criminels, dont aucun n'accepterait d'être associé à un acte aussi répugnant. Dans bien des pays, ces saloperies sont monnaie courante. Nous n'en sommes pas là. Du moins pas encore...

Mais revenons à notre affaire. Il a donc fallu un peu de temps pour trouver l'explosif convenable, que nous ne pouvions commander, on s'en doute, chez Distribution aux consommateurs. J'ai finalement reçu ma chère Gelatine Giant (merci Hydro-Québec). Au bout de sept ou huit essais, j'ai pu calculer les charges exactes nécessaires pour faire sauter les charnières de la porte du chauffeur ainsi que l'épaisse vitre du compartiment au fric. Nous avons dû peaufiner bien d'autres détails. Sourire et Normand assuraient la filature des fourgons. J'ai moi-même surveillé les allées et venues de ces derniers en compagnie de mes complices à partir d'un motel situé à Dorval, non loin de l'aéroport. On voyait sortir les camions de Sécur qui nous passaient sous le nez. À deux reprises, je les ai filés sur la route parce qu'à l'origine nous étions censés attaquer le fourgon dans le tunnel Ville-Marie et non au bureau de poste.

Je possédais deux appareils très sophistiqués qui me permettaient de savoir si j'étais filé. J'ai fait mention précédemment de l'un d'entre eux, qui m'avait coûté 4 800 $; j'avais payé l'autre 400 $. Le premier appareil était un détecteur de *carriers*, c'est-à-dire des fréquences porteuses d'ondes, efficace dans un rayon de 2,4 kilomètres. Il comporte une alarme et une diode décodeuse qui permet de détecter n'importe quelle fréquence, même en mode audio. Par exemple, si je circule dans une artère principale et que l'alarme retentit, je peux toujours emprunter de petites rues, louvoyer, changer radicalement de direction, m'arrêter. Si l'alarme continue à sonner, il y a de fortes chances que je sois sous filature.

Ce détecteur capte toutes les fréquences, même les UHF. On entend nettement les stations de télévision et de radio, les conversations des chauffeurs de taxi et celles des convoyeurs de fonds. Il y a toujours moyen de déceler la présence d'un détecteur dans le coin, mais si on constate que l'on reçoit des signaux brouillés, il ne faut pas avoir une maîtrise en psychologie pour deviner que l'émetteur n'est pas en train de tenir des propos salaces à sa petite amie : il veut tout simplement que le premier colon venu ne puisse pas capter sa conversation. Il ne peut donc s'agir que d'un policier. Grâce à cette petite merveille, vous pouvez aussi savoir si quelque « smatte » vous a collé un détecteur sous votre véhicule, qui donnera en permanence votre position aux as de la filature.

De bien gentilles petites bombes

En ce qui concerne les explosifs, au cours de nos expériences champêtres à Saint-Sulpice, j'avais également testé la résistance des vitres blindées des cages des gardiens au siège social de la Banque de Montréal. Dans ce cas comme dans celui des fourgons, l'idée était d'étoiler les vitres, puis d'achever de les défoncer pour pouvoir passer la main à l'intérieur et ouvrir la porte. Comme il fallait envisager toutes les possibilités, je possédais des bombes de rechange, dont certaines ont été retrouvées par les policiers dans le véhicule de camping. Avec l'électronique, même si les possibilités de rater son coup sont infimes, il faut toujours prévoir le pire ; c'est pourquoi j'avais fabriqué six engins. Abondance ne nuit pas.

Les bombes de diversion étaient au nombre de quatre. L'une d'elles a été déposée à Dorval, dans une ruelle située derrière une pharmacie Cumberland, dans une trappe destinée aux livraisons. Elle était de faible puissance, suffisante pour déclencher le système d'alarme et faire rappliquer la flicaille. Je la télécommandais par téléphone cellulaire. En outre, elle comportait une minuterie qui l'amorçait à quatre heures du matin et la désamorçait une heure plus tard si le coup avortait, ce qui me laissait le temps d'aller la récupérer avant que quelqu'un se blesse. L'autre bombe, également conçue dans le but de déclencher un système d'alarme, se trouvait dans un centre commercial situé près du poste de police de Saint-Laurent, dans l'une des portes de la sortie d'urgence du magasin La Baie. Elle devait également faire plus de bruit que de dégâts.

J'ai par contre éprouvé plus de difficultés avec les deux autres bombes qui, elles, n'étaient pas commandées par un téléphone cellulaire mais par un déclencheur codé. Installées dos à dos, elles étaient destinées à neutraliser le système de communications de la compagnie Bell, par où passaient les fils du système d'alarme du bureau de la Société canadienne des postes ainsi que le système de communications de la Sûreté du Québec à Saint-Laurent. La SQ utilise les tours de transmission, mais je savais que les signaux émis par ce corps policier transitaient par voie terrestre, certainement par l'entremise des quatre boîtes de communication de Bell Canada, qui se trouvaient, comme toujours en tel cas, sur une plate-forme de ciment non loin du centre postal. On pouvait d'ailleurs les voir du motel où nous faisions le guet.

J'avais utilisé mon explosif fétiche, la Gelatine Giant. Un kilo en tout. Je devais faire exploser cette bombe au moyen d'un système de transmission que l'on appelle un *Mobile Alert.* Un téléavertisseur de type Pagette était branché sur les explosifs. Un récepteur contrôlé par une fréquence privée, codée selon un code binaire de zéro à neuf, devait déclencher la déflagration.

Il me suffisait de transmettre le signal en binaire à l'aide de mon émetteur. Ce dispositif offre une grande sécurité, car la probabilité que quelqu'un d'autre compose ledit code est de 1 sur 54 000. L'émetteur devait se trouver dans la camionnette conduite par Sourire, où l'on avait déjà installé les deux brouilleurs d'ondes.

Artillerie et intendance

Sourire s'occupait du rayon des armes. J'avais mon fidèle Taurus 9 mm, mais nous étions aussi équipés de deux fusils-mitrailleurs AK-47, l'un d'entre eux muni d'un chargeur de style « camembert » et l'autre, d'un chargeur courbe, et d'un fusil anti-émeutes de calibre 12, avec une boîte de chevrotines spéciales en acier. C'était l'arme favorite de Gordie. Nous devions tous porter des gilets pare-balles et des cagoules noires ou bleu marine, des passe-montagnes comme en portent certains activistes corses et autres *gunmen* politiques. Sur quelques cagoules, les ouvertures pour les yeux étaient bordées de rouge, ce qui nous donnait un air inquiétant. Enfin, nous étions tous gantés – l'enfance de l'art.

Nous avions beaucoup discuté de l'endroit où nous devions transférer les sacs du fourgon de Sécur dans l'une des camionnettes. Je me souviens avoir beaucoup insisté pour utiliser des camionnettes de style Econoline, alors qu'on me proposait un petit camion de livraison, un van à carrosserie cubique. Je n'aimais pas ce type de véhicule, qu'on appelle aussi des « cubes », car la caisse déborde le châssis. La vision arrière est nulle et il faut s'en remettre aux gros rétroviseurs extérieurs, comme dans un poids lourd. Contrairement aux Econoline, les cubes sont des véhicules assez lents. Et puis, la marchandise que nous avions à transporter n'était pas très encombrante...

Toutefois, lorsque je suis arrivé, les véhicules avaient déjà été livrés au fond de la cour du motel Ramada Inn, qui faisait face au côté sud du bureau de poste, sur la voie de service de la 520. J'ai compris alors que nous allions devoir travailler avec le gros cube blanc, tandis que Sourire utiliserait l'Econoline rouge. Le moment était mal choisi pour faire les difficiles. S'il est vrai qu'il nous arrivait de ne pas être d'accord sur des détails techniques, il existait une chose sur laquelle nous nous entendions : c'était de ne pas faire preuve de violence gratuite. C'est ainsi que nous étions d'accord pour dire que, si la police nous tombait dessus, nous devions nous sauver ou nous rendre, sans un coup de feu, quitte à nous reprendre plus tard.

Malheureusement, on le verra plus loin, cette bonne résolution ne fut pas suivie à la lettre. D'ailleurs, le job ne devait pas dépasser deux minutes. Si, au bureau de poste, nous n'étions pas capables de capturer le fourgon dans ce laps de temps, mieux valait décrocher et abandonner, car nous misions sur l'effet de surprise, toujours selon la technique des commandos.

Le scénario du bureau de poste avait été maintes fois remis sur le métier. Par exemple, il se posait un problème de caméras vidéo sur les lieux. Devions-nous nous en préoccuper ? Fallait-il neutraliser les deux convoyeurs qui sortaient, entrer dans le bureau et tenir en respect tout le personnel ? Nous avons finalement conclu que le hold-up sur les lieux était trop complexe et avons décidé de nous en prendre plutôt au fourgon.

Que la fiesta commence !

Nous sommes la veille de l'attaque, le 7 juillet 1993. C'est moi qui ai ouvert les festivités en allant poser les quatre bombes avec Gordie, dans une Chrysler Intrepid louée. Il était 22 heures, une heure propice, car, en pleine nuit ou tôt le matin, toute auto tournant autour d'un centre commercial ne pouvait être que suspecte pour des patrouilleurs. La bombe de la pharmacie Cumberland était munie d'un autocollant et celle de La Baie comportait un dispositif magnétique de façon qu'elle adhère à la porte de fer de ce magasin à rayons. Les boîtes de communication de Bell Canada eurent également droit à deux bombes de type autocollant. Il suffisait d'environ huit secondes pour poser les bombes, si bien qu'à 23 heures l'opération diversion était terminée. Je rentrai chez moi, la conscience tranquille comme un bon travailleur.

Nous nous étions donné rendez-vous dans le parking de la société Trane, où devait stationner notre « bureau mobile », c'est-à-dire le véhicule de camping, toujours conduit par Richard, le beau-frère de Sourire. Cette entreprise se trouvait rue Pitfield, une voie de service de l'autoroute 13, entre le boulevard Henri-Bourassa et le boulevard Gouin.

C'est également là que nous devions garer nos autos personnelles ou louées.

Le 8 juillet, je suis arrivé vers deux heures du matin. Gordie a suivi, puis Richard au volant d'un *camping-car,* un Southwind loué à Laval. Les derniers d'entre nous ont dû arriver vers trois heures ou trois heures et demie dans leur voiture, tout comme moi. J'avais apporté un *walkie-talkie* à haute fréquence et Normand en avait un autre. Comme un seul appareil suffisait, j'en ai rangé un dans mon véhicule. Tous les membres de l'équipe sont montés dans le Southwind et Richard nous a emmenés là où se trouvaient la camionnette rouge et le « cube » blanc volés, c'est-à-dire à l'arrière du stationnement du Ramada Inn, devant le bureau de poste. De là, nous pouvions voir avec précision où les fourgons blindés reculaient. Ensuite, ils nous passaient quasiment sous le nez, allaient faire le tour des bâtiments par une petite rue et rentraient par la barrière principale. Cela prenait environ quatre minutes ; le temps qu'ils passent devant notre camion et on les voyait repasser jusqu'à ce qu'ils reculent.

Nous avons endossé nos gilets pare-balles dans le Southwind, j'ai pris mon Taurus et deux bombes de quatre secondes chacune avec moi qui allaient servir à faire sauter les portes du fourgon. J'ai enfilé ma veste bleue et Sourire a revêtu une sorte de vareuse militaire kaki pour remplacer le blazer qu'il portait habituellement. J'ai pris place avec Normand et Sourire dans la camionnette rouge et Gordie nous a suivis dans le camion blanc. Puis, nous avons stationné les véhicules devant l'immeuble de la Société canadienne des postes et avons attendu. Téléphone cellulaire en main, je gardais le doigt au-dessus de la touche *Send* du clavier, pour faire exploser les bombes chez Cumberland et chez La Baie. Mon autre émetteur était également prêt à déclencher l'explosion du système de communications de Bell. Richard, pour sa part, avait ramené le véhicule de camping à son point de départ, rue Pitfield.

Nous voilà en attente. Nous avions décidé que si, à 4 h 30, 4 h 40 au plus tard, le fourgon ne s'était pas montré, il faudrait remettre l'affaire à une date ultérieure, car le jour se levait vite et n'allait pas faciliter les choses. Vers 4 h 20, le camion est passé devant nous, à quelque trois mètres. C'était son heure habituelle. J'ai aussitôt envoyé les deux signaux pour faire sauter les engins de diversion. Les bombes en arrière de la pharmacie et du grand magasin ont explosé comme prévu. Ce ne fut pas le cas de celles qui se trouvaient collées dos à dos sur les boîtes de communication de Bell. En effet, dans le feu de l'action, l'antenne télescopique qui commandait le dispositif de mise à feu s'était brisée accidentellement lorsque j'avais voulu la tirer et je n'en possédais pas d'autre. J'avais demandé au type qui avait volé l'Econoline de débrancher l'antenne placée en arrière de la radio de bord et ne pouvais donc pas compter sur elle. Avec ma basse fréquence de 27 mégahertz, sans antenne, il avait été impossible de franchir les obstacles tels que les immeubles en ciment. Une *bad luck.* La poisse, en somme, et elle devait nous coûter cher...

Le camion a reculé et aussitôt que les deux convoyeurs furent entrés dans le bureau de poste, Sourire a lancé la camionnette rouge, avec Normand et moi à bord, sur les chapeaux de roues, défonçant la grille érigée un peu en avant de la porte centrale. Il faut dire que Sourire et Normand avaient préalablement scié la chaîne qui la retenait.

La camionnette s'est arrêtée sur le nez du fourgon blindé, de biais, à un angle de 60 degrés environ. Debout derrière avec Normand, il m'a suffi de faire glisser la porte coulissante pour nous éjecter rapidement. Je suis sorti le premier, suivi de Normand avec son AK-47 en bandoulière. Piloté par Gordie, le cube blanc a fait son apparition et s'est stationné près du fourgon. En entrant avec cette maudite boîte à beurre, Gordie a accroché le rétroviseur extérieur gauche à une guérite ou à une clôture – je ne sais plus exactement –, ce qui lui enlevait toute vision vers l'arrière. On aurait dit que j'avais prévu tout cela. La présence de cet encombrant camion sur les lieux n'était peut-être pas indispensable, mais nous donnait l'assurance d'avoir un véhicule de rechange au cas où, par exemple, la mécanique de la camionnette rouge aurait été atteinte par une rafale tirée par un gardien zélé.

Mon Taurus à la ceinture, je n'ai pas eu à dégainer, car je tenais une bombe avec une attente de quatre secondes à la main. Je me suis rendu à la porte du chauffeur de Sécur qui, entre-temps, avait eu un réflexe malencontreux, celui d'allumer ses clignotants et de faire fonctionner sa sirène. J'ai collé la bombe sur la serrure et averti l'homme qu'il s'agissait d'explosifs. Normand, qui m'avait suivi, s'est placé de biais et a pointé son AK-47 sur l'employé, dépassé par les événements. Pendant ce temps, armé lui aussi, Sourire surveillait la sortie du bureau de poste. Déjà, le personnel s'amassait dans les fenêtres. En voyant la puissance de feu dont nous disposions, le chauffeur a si bien compris la situation qu'au bout de cinq secondes il a arrêté ses clignotants et sa sirène, a ouvert la porte, a jeté son arme par terre et m'a remis ses clés en disant: « O.K. les boys, ne tirez pas! Ne tirez pas! » Je lui ai dit de se sauver. Il est parti sans demander son reste et est allé se mettre à l'abri. À sa place, j'aurais fait exactement la même chose. J'ai ramassé son arme et l'ai déposée dans le fourgon.

Main basse sur le magot

Normand a pris le volant du lourd véhicule sur lequel j'avais récupéré ma bombe, que je devais utiliser un peu plus tard, puis je me suis installé sur le siège de l'aide-chauffeur. Normand a éprouvé quelque difficulté à enclencher les vitesses, puis s'est mis à rouler en douceur, entre 30 et 40 km/h. Je crois me souvenir que c'est la camionnette rouge qui ouvrait le cortège, suivie du cube blanc et du fourgon. Dans ces moments-là, des étapes vous échappent, et il faut jouer d'oreille, comme ces improvisateurs que sont la plupart des politiciens. Une chose était certaine : nous fermions la marche par le blindé afin de protéger les autres. Cette précaution s'est révélée à propos lorsque nous avons reçu une volée de balles dans la partie arrière du véhicule. Les gens de Sécur n'avaient sans doute pas apprécié qu'on leur pique leur camion. Heureusement, avec les tire-pois dont ils disposaient, le blindage nous avait protégés. À côté des nôtres, leurs armes étaient tout juste bonnes pour un tir de foire. Nos fusils-mitrailleurs militaires de 7.65 auraient transpercé nos tôles sans problème. Nous les avions testés dans notre boisé de Saint-Sulpice.

On me demandera peut-être d'expliquer pourquoi, si nous tenions tant à ménager les vies humaines, nous nous promenions avec des engins aussi meurtriers. À cela je répondrai en faisant appel à mon expérience personnelle. Supposons qu'un policier me tienne en joue avec un calibre 38. Pour peu que j'aie la possibilité de lui fausser compagnie, il n'est pas exclu que je prenne le risque de filer. Si, par contre, il pointe vers moi un 12 à pompe armé de chevrotines ou encore un fusil d'assaut, je réfléchirai deux fois avant d'accomplir un acte insensé. Bref, si nous avions des armes lourdes, c'était avant tout pour que les gens ne fassent pas de conneries.

Pour prouver notre bonne foi, j'ajouterai que si nous portions des gilets pare-balles, ce n'était pas tant que nous avions peur d'encaisser des pruneaux (avec notre artillerie, nous pouvions faire le vide autour de nous avant de récolter nous-mêmes des balles perdues), mais nous voulions être capables d'essuyer des coups de feu d'armes conventionnelles assez puissantes, comme des 357 Magnum, sans avoir à riposter.

Le cortège s'est rendu à l'autoroute 13, où se trouve un entrepôt qui appartient au ministère des Transports du Québec, un peu au nord de la voie de service. La camionnette et le cube y étaient déjà. L'Econoline rouge a stationné de face. Normand et moi sommes arrivés avec le fourgon, avons fait demi-tour, puis pointé le capot vers le nord. Je suis sorti et j'ai placé ma bombe sur la vitre de la porte du compartiment arrière. Je l'ai ensuite activée à l'aide de ce que j'appelais une clé, mais qui, en réalité, consistait en un dispositif de sécurité conçu avec une fiche de guitare électrique, une solution beaucoup plus fiable qu'un commutateur qu'on peut accrocher par inadvertance. Pour armer la bombe, il faut entrer la fiche dans la prise, un geste que l'on ne peut faire sans l'avoir vraiment décidé.

La bombe a détonné proprement et a fendillé l'épaisse vitre, que nous avons fini de faire sauter à coups de crosse. Lorsque le trou a été suffisamment grand pour y passer le bras, Normand a essayé de tourner la poignée ronde et crantée qui se trouvait à l'intérieur, mais en vain. C'est finalement Sourire, dont le bras était sans doute plus long, qui a réussi à ouvrir la soute aux merveilles.

Pendant que Normand montait la garde avec son AK-47 devant le fourgon, dans le véhicule Sourire approchait les sacs de plastique renforcés contenant l'argent (un seul d'entre eux pouvait contenir plus d'un million de dollars) du bord de la porte que nous venions d'ouvrir, tandis que Gordie et moi les lancions au fond du cube blanc. La tâche de Sourire se compliquait à cause de la présence, à l'intérieur du compartiment blindé, d'une autre porte, non fermée à clé, qu'il fallait franchir. Cela allongeait sensiblement le transbordement à un moment où chaque seconde comptait. Mais en moins de deux minutes, le travail fut accompli. Après tout, nous ne faisions pas notre marché hebdomadaire chez Provigo !

À la demande de Sourire, j'allais m'assurer qu'il ne restait plus de sacs dans le fourgon blindé lorsque j'ai entendu un policier crier « *Freeze !* » Celui-là nous tombait comme un cheveu sur la soupe. En me dirigeant vers la cour où nous étions, j'avais bien aperçu un véhicule stationné, mais il faisait noir et je n'avais pas remarqué qu'il s'agissait d'une voiture de patrouille de la Sûreté du Québec. Dans le milieu, j'ai entendu dire que ses occupants dormaient lorsque nous étions passés. Si cela est exact, ils ont dû se réveiller rudement vite...

Bien que surpris, je ne m'en suis pas plus occupé que s'il s'agissait du cri d'un gamin dans un parc public, car j'avais l'intuition qu'il s'agissait d'un patrouilleur isolé et je ne tenais pas non plus à faire paniquer l'équipe. En fin de compte, je pense que nous avions tous entendu cette sommation, car Normand, armé de sa mitraillette, s'est avancé de deux ou trois pas pour vérifier, mais n'a pas bronché. Après tout, nous avions nos gilets pare-balles. Il ne s'agissait pas de jouer les Rambo. Il y avait mieux à faire.

Gordie a pris le volant du cube blanc et je suis monté avec lui. Sourire et Normand ont pris la camionnette rouge et nous avons démarré en trombe. À un moment donné, Gordie s'est trompé et s'est engagé dans un sens interdit. Je lui ai fait observer son erreur et il a reculé. Quelques autres précieuses secondes de perdues. C'est alors que j'ai remarqué la présence d'un petit camion de la Sûreté du Québec, arrêté toutes lumières éteintes. Décidément, il commençait à y avoir un peu trop de flicaille dans le coin pour prendre tout ça mollo. Gordie commençait à paniquer. Je lui ai dit de ne pas s'occuper de ça, de faire son boulot et de filer, que les autres se chargeraient de cet emmerdeur.

Gordie était de plus en plus nerveux, surtout sans rétroviseur sur sa portière, car il ne voyait pratiquement rien vers l'arrière. Nous avions entre 10 et 15 secondes d'avance sur la camionnette rouge. C'est à ce moment-là, en regardant dans le rétroviseur de ma portière, que je constatai qu'il y avait du grabuge sur la 13, car les gyrophares tournaient comme si les voitures qui les portaient escortaient quelque important personnage venant de l'aéroport. La visite du président des États-Unis n'étant pas prévue, j'en conclus rapidement que cette escorte n'avait pas mis ses gyrophares en marche pour se presser d'aller prendre son café.

Gordie s'affolait et tandis que je l'exhortais à appuyer sur le champignon, le maudit camion parvint à atteindre 75 km/h. Décidément, ce véhicule était une vache. Je me souviens avoir dit à Gordie en plaisantant qu'il n'avait pas à s'en faire pour les contraventions, puisque nous avions largement de quoi les payer sur place. Pour être plus précis, quarante-sept millions sept cent mille dollars !

Nous roulions enfin à plus de 100 km/h – une vitesse qui ne figurera jamais au Livre des records Guinness – lorsque, deux ou trois secondes plus tard, Sourire nous dépassa au volant de l'Econoline. Je ne sais trop ce qu'il voulait, mais, après tout, nous n'avions pas utilisé deux véhicules pour des raisons décoratives. Sans que le plan soit arrêté à un poil près, Normand et Sourire auraient dû normalement bloquer la 13 pour empêcher la police de passer. Normand nous rejoignait avec la camionnette rouge, la sacrifiait pour en faire un obstacle contre les flics, puis montait dans le cube blanc avec Gordie et moi et nous prenions tous les quatre la fuite.

Quand l'action nous pète dans la face !

Mais là, il fallait encore improviser. Normand, qui se trouvait sur le siège du passager, a passé la tête dans le cadre de la vitre et sa cagoule est partie au vent. Désespérément, il m'a fait signe d'aller plus vite. En regardant dans le rétroviseur, j'ai compris qu'il devait y avoir eu un échange de coups de feu parce que le gyrophare de l'une des voitures de police avait été touché. Sourire m'a raconté plus tard que, la police ayant tiré, Normand avait donné un coup de pied dans la portière de l'Econoline pour la tenir ouverte, puis avait lâché une rafale de semonce suffisamment haut pour ne pas toucher les patrouilleurs. Le gyrophare cassé en était la preuve, car s'il avait arrosé cette voiture, elle se serait probablement démantibulée, comme dans les cascades hollywoodiennes. Or, on le sait maintenant – du moins je l'espère –, nous ne sommes pas des *cop killers,* des tueurs de flics, mais, ne connaissant pas nos louables intentions, les obsédés du gyrophare ne l'ont pas pris ainsi et ont riposté. J'ai compté entre 10 et 15 coups de feu, alors que l'arrière du cube blanc amortissait une volée de balles et que certaines d'entre elles ricochaient dans la caisse. Nous avions voulu de l'action ? Nous en avions pour notre argent, car l'action nous pétait dans la face !

Enfin, c'est une manière de parler. C'est en voyant Normand me faire de grands signes que j'ai compris que la retraite n'était pas pour demain, d'autant plus que Gordie perdait tout à fait la tête et me proposait de prendre le volant, ce que je refusais. Je lui ai indiqué une sortie, mais il ne l'a pas prise.

– Je ne sais plus ! Je ne sais plus ! se contentait-il de dire d'un air débile.

– Tabarnak ! Suis au moins la route que tu as mémorisée, lui avais-je répondu, hors de moi.

Mon intention était d'emprunter de petites rues pour semer la police, mais, rien à faire, Gordie était devenu dysfonctionnel. Il a fini par repérer le lieu où nous avions rendez-vous avec le Southwind. Nous sommes arrivés en trombe, avons sauté pardessus une sorte de terre-plein, filé en ligne droite pour nous immobiliser devant un champ. Terminus.

– Qu'est-ce qu'on fait ? Qu'est-ce qu'on fait ? a demandé Gordie d'un air ahuri.

Je n'étais pas en mesure de lui répondre, mais une chose était certaine : j'étais décidé à ne pas me laisser attraper comme un lapin. Il s'est contenté de me dire « Cours ! » Merci du conseil... J'étais déjà sorti du cube blanc, pour me retrouver face à face, à une douzaine de mètres de là, avec un petit camion de la Sûreté. Un policier provincial s'est juché sur le capot, une arme à la main, et a gueulé le *Freeze* traditionnel. Malgré l'heure matinale, avec l'éclairage je voyais très bien son uniforme. Je l'ai regardé l'espace d'une fraction de seconde et, dans une réaction non dénuée d'humour, je me suis surpris à lui répondre en marmonnant « Mange donc de la m... Salut ! » ou quelque chose dans ce style. Je me suis retourné et j'ai filé en zigzaguant vers le sud. Je pense que mon gilet pare-balles m'a été des plus utiles, car j'ai eu l'impression d'avoir encaissé au moins un pruneau de la part des archers de la Couronne. Je ne sais pas avec quoi ils ont tiré, mais je ne conseille à personne d'essayer. On ressent comme un gigantesque coup de pied au cul qui nous projette en vol plané dans la vase. La police s'est défendue d'avoir tiré et je comprends sa position. Je n'avais pas dégainé et elle se trouvait à quelque 200 mètres de moi. Une chose est néanmoins certaine : les vêtements pare-balles empêchent la quincaillerie de vous déchirer les tripes.

J'ai continué à courir à en perdre haleine pour aboutir jusqu'à une petite voie ferrée desservant des usines. Je me suis enfoncé dans un boisé, me suis arrêté, ai enlevé ma veste bleue (où se trouvait mon téléphone cellulaire que j'ai oublié de récupérer), mon gilet pare-balles, mon pistolet dans son étui et j'ai semé le tout dans un rayon de quelques mètres. C'est alors que j'ai entendu des coups de feu et Gordie crier. Je ne savais pas ce qui lui arrivait, mais j'eus une pensée pour lui. J'ai appris par la suite qu'il n'avait pas été blessé et qu'il s'était fait arrêter près de la voie ferrée. Ses angoisses avaient temporairement pris fin.

Mélodie en sous-sol : Prise deux

Continuant à courir dans le boisé, je suis tombé sur un ruisseau, puis j'ai aperçu un collecteur d'eaux pluviales qui s'y jetait. En entrant dans ce trou, j'ai compris que personne ne m'y suivrait, car c'était loin d'être un boulevard : tout juste un mètre et quelques centimètres. J'ai dû parcourir une quinzaine de collecteurs semblables. J'ai finalement atteint une petite salle où plusieurs conduits débouchaient. Je suis parvenu à m'asseoir et à me reposer pendant deux heures environ. J'ai été malgré moi obligé de faire pénitence pour mes péchés en parcourant environ deux kilomètres à genoux, en passant notamment sous l'autoroute 13, où nous avions connu tant d'aventures. J'ai su par la suite qu'on avait lancé des chiens sur ma piste, mais qu'ils l'avaient perdue dans le ruisseau.

Entre-temps, un hélicoptère de la Sûreté tournoyait au-dessus de la scène. Je pouvais le voir et l'entendre à travers les grilles d'égout qui, à distance variable, jalonnaient le parcours du collecteur. En me terrant comme une marmotte, je me sentais à l'abri. Mes précédentes expériences souterraines m'avaient appris que les égoutiers s'aventuraient peu dans ces conduits et encore moins lorsqu'ils faisaient à peine 1,10 mètre de diamètre. Je suis donc resté là-dedans pendant trois ou quatre heures, je ne sais pas exactement, car j'avais brisé ma montre. Sans lumière et sans carte des lieux, je ne pouvais poursuivre longtemps ma progression. Je suis revenu sur mes pas, ce qui est une manière de parler puisque j'étais toujours à genoux, puis je suis sorti de mon tuyau au même endroit où j'étais entré. En rampant dans le ruisseau et en m'aplatissant sur le sol, j'ai entendu parler et me suis rendu compte qu'une voiture de police se trouvait stationnée non loin de là.

Une pluie fine tombait sur la scène. Les agents surveillaient les terrains vagues avoisinants à la jumelle. Là où j'étais, les herbes hautes me dissimulaient à leurs regards. Je me trouvais maintenant à environ deux mètres de la voiture dont la portière était ouverte, ce qui me permettait de suivre leur conversation. En me forçant un peu, j'aurais pu tirer la jambe de l'un d'entre eux, qui l'avait laissée sortie du véhicule... J'entendais l'hélico qui continuait à tournoyer, tel un gros maringouin, et je savais qu'il transportait à son bord un détecteur de rayons infrarouges. J'ai crapahuté vers le ruisseau où je me suis mouillé entièrement, puis me suis abrité dans un petit bosquet. En me mouillant, je devenais pratiquement indétectable par l'hélicoptère, une astuce maintes fois employée dans la jungle au cours de la guerre du Vietnam par les « Charlies » ou combattants du Viêt-công. J'ai attendu environ une demi-heure. La pluie s'était arrêtée. Je me suis approché de la voiture de la Sûreté et j'ai entendu un des policiers dire à son collègue : « L'alerte est terminée. » Il était entre 15 h et 15 h 15.

La cavale

Je suis retourné dans mon collecteur, ai parcouru une vingtaine de mètres, puis j'ai attendu un certain temps. Je suis sorti et, tout courbé, j'ai avancé sur environ 500 mètres dans le ruisseau en essayant de ne pas me faire repérer par les agents qui devaient continuer à surveiller les terrains vagues. J'ai suivi la voie ferrée sur laquelle était stationné un convoi plein de bois de construction. J'y ai aménagé une cachette pour me reposer et me faire sécher. Vers 18 heures, tout crotté, j'ai traversé le boisé et j'ai abouti dans un quartier résidentiel, aux alentours de la rue Hervé, près du boulevard Gouin. Je suis entré dans un dépanneur pour acheter des cigarettes. J'ai ensuite pris l'autobus jusqu'à Cartierville, ai changé de ligne et continué par le métro jusqu'à la rue Viau. Rue Jarry, vers 20 heures, j'ai loué une chambre au motel Diplomate et pris une bonne douche avant d'aller sonner chez un ancien copain, qui m'a hébergé pendant un mois et demi. Le lendemain matin, à six heures, je prenais un taxi avec lui et allais récupérer à Dorval les deux bombes installées sur les boîtes de communication de Bell. Ensuite, je suis allé les faire sauter à Saint-Sulpice. Bref, j'étais en cavale, tout comme Sourire et Normand d'ailleurs. Je devais le demeurer six mois. Seul Gordie goûtait aux joies d'une invitation prolongée, aux frais du contribuable.

L'une de nos manœuvres de diversion : une « bombinette » disposée à l'arrière de la pharmacie Cumberland. Cette vue de l'intérieur de l'entrepôt de l'établissement montre le peu d'étendue des dégâts.

Le fourgon de Sécur abandonné après son nettoyage en règle. Le trou limité dans la vitre blindée, par lequel il suffisait de passer le bras pour ouvrir la porte du compartiment arrière, montre la puissance calculée de la bombe utilisée pour ce travail.

Une balle perdue provenant d'une rafale d'intimidation tirée en l'air depuis la camionnette d'accompagnement a percé le gyrophare d'une voiture de police à notre poursuite.

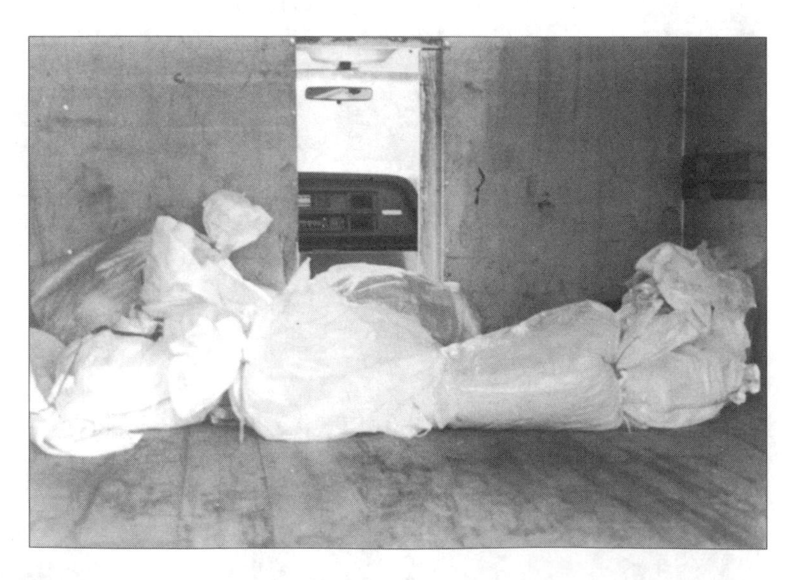

Ces vulgaires sacs en plastique trouvés dans le camion de livraison blanc contiennent la coquette somme de 47,7 millions de dollars.

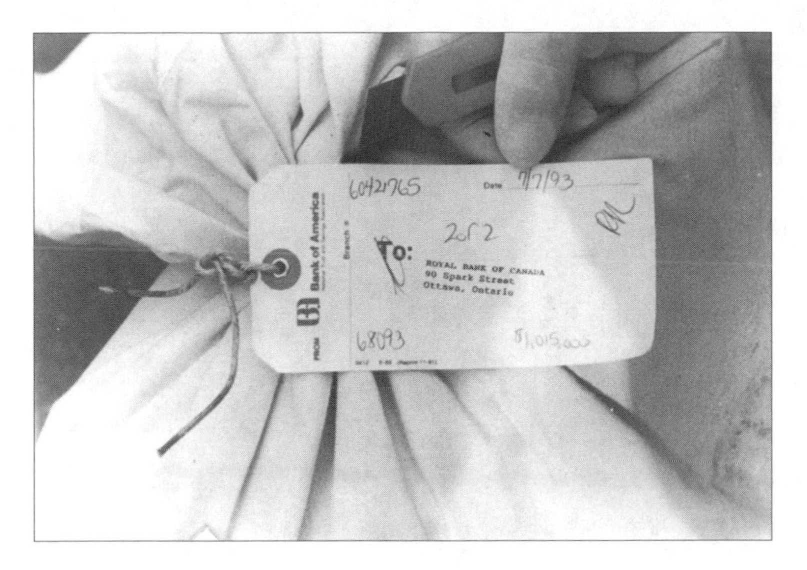

Voilà à quoi ressemble un sac en plastique renforcé venant de la Bank of America et contenant la bagatelle d'un million quinze mille dollars. Cette somme est inscrite dans le coin inférieur droit de l'étiquette.

Les armes de Sourire et de Normand retrouvées après la disparition de ces derniers dans la nature.

Un chargeur d'AK-47 de type « camembert ».

Mon fidèle Taurus, que j'ai abandonné en pénétrant dans le réseau d'égout pluvial.

Deux bombes dites « de quatre secondes », semblables à celle qui a fait sauter la porte arrière du fourgon. On les amorce au moyen d'une fiche de guitare électrique, que l'on peut voir nettement ici. Il suffit d'enfoncer la fiche.

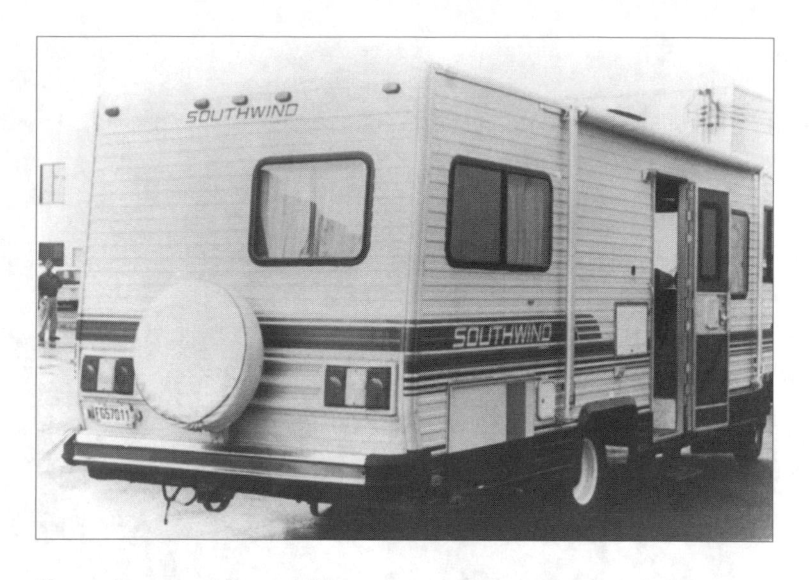

Notre « bureau mobile », en l'occurrence un motorisé Southwind, dans lequel, après l'attaque du fourgon blindé, la police a retrouvé, entre autres choses :

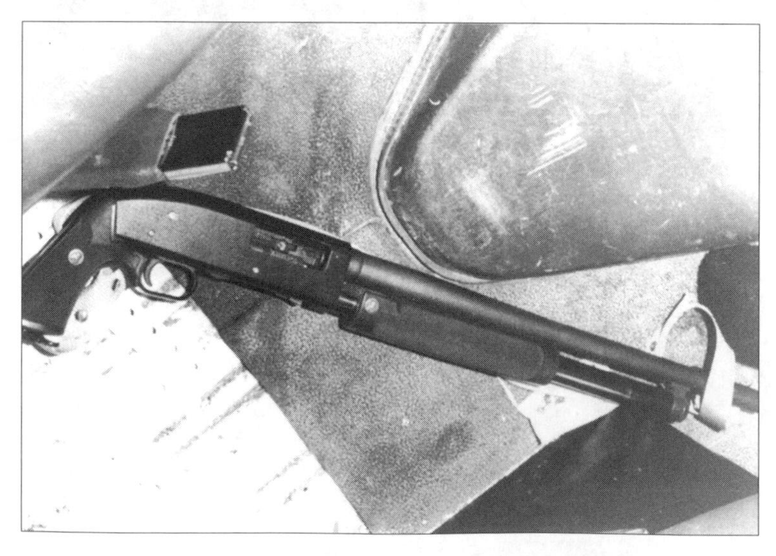

le fidèle calibre 12 à pompe appartenant à Gordie ;

mes papiers d'identité ;

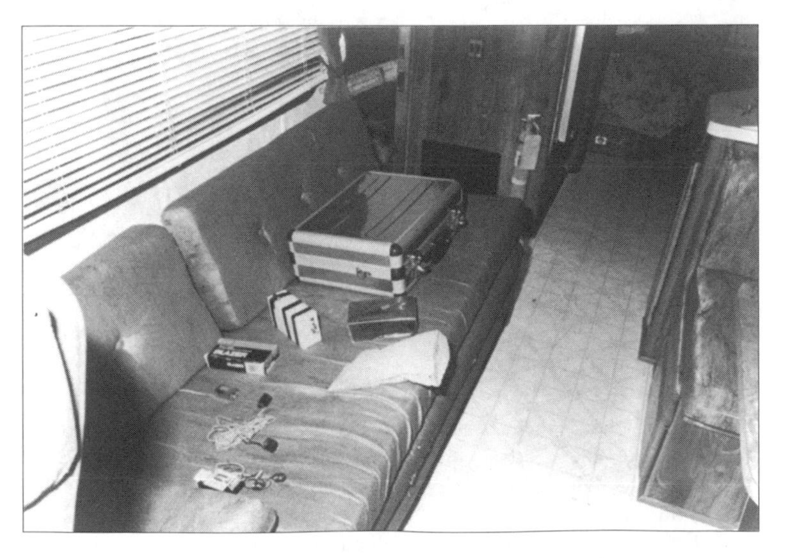

des bombes prêtes à l'emploi, avec une valise capitonnée pour les transporter.

Ce pistolet à silencieux retrouvé dans le Southwind a confirmé les soupçons les plus affreux que j'entretenais à l'égard de mes complices : une fois le job de 47,7 millions mené à bien, il est plus que probable qu'avant ou après le partage on m'aurait discrètement crépité un message d'adieu...

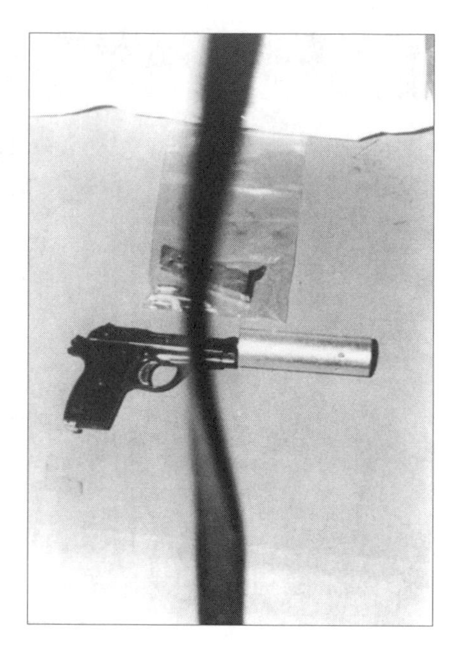

« Terminus. Tout le monde descend... » C'est derrière ce bâtiment que s'est terminé le coup du fourgon de Sécur et que j'ai pris la clé des champs au son des coups de feu. En haut, à droite, on voit le « cube » ou camion de livraison contenant le magot, ainsi que le motorisé Southwind. À gauche, les voitures dans lesquelles nous devions prendre la fuite avant de nous retrouver ailleurs : une Chrysler Intrepid, une Chevrolet Lumina et une petite Honda.

L'autoroute 13, lieu de nos succès et de nos misères. C'est dans le passage couvert, à gauche, que l'on a retrouvé les douilles des balles tirées de la camionnette rouge sur la police. C'est apparemment aux alentours de la station de pompage (petit bâtiment blanc, au centre de la photo) qu'était embusquée la voiture de patrouille, dont les occupants ont donné l'alarme.

Suivant mes indications, la Sûreté du Québec a retrouvé dans un étang, situé dans le boisé de Saint-Sulpice (notre « laboratoire en plein air »), des portes blindées déchiquetées par les tests d'explosifs que nous avions faits le coup de Sécur.

EN CAVALE POUR UN JOLI COUP

Alors que j'étais toujours planqué chez mon copain, ma femme me fit parvenir 15 000 $ qui provenaient, entre autres, de la vente de ma Jeep Cherokee ; j'ai aussi fait un peu d'argent en remplissant de petits contrats. De quoi payer les cigarettes. L'un d'entre eux concernait la pose de trois bombes dans un gymnase de Cornwall, en Ontario, ainsi que la fabrication d'une autre bombe, posée sous une Mercedes. Cet engin, qui avait fait la manchette des journaux spécialisés et des nouvelles télévisées, avait été désamorcé sur l'autoroute Métropolitaine. Dans les deux cas, il n'était pas question de blesser qui que ce soit. Seulement de faire du grabuge. Nous y reviendrons.

Il s'agissait là de deux petits boulots isolés sur lesquels on ne construit pas une carrière. C'est peut-être à cette époque qu'on m'affubla du surnom d'« artificier de la pègre », une trouvaille journalistique à l'emporte-pièce, car j'aurais pu effectivement – et depuis fort longtemps – devenir exécuteur des basses œuvres mafieuses et tirer mon épingle du jeu en ne m'impliquant aucunement dans les coups. Une sorte de technicien-*hit man* bien payé travaillant dans l'ombre. Vous savez déjà ce que je pense des associations de malfaiteurs.

J'ai également expliqué combien j'ai toujours préféré boire seul dans mon verre, que celui-ci soit grand ou petit. Je n'ai jamais aimé que quelqu'un qui se pense plus malin que moi vienne y fourrer son gros pif sale.

Un message de Sourire

Décidé à profiter de ma liberté, j'allai passer une semaine aux États-Unis. Quelques jours après mon retour, j'achetais une voiture au nom de mon beau-frère, puis repartais pour les States, histoire de changer d'air. J'entretenais quelques relations avec ma famille par l'intermédiaire de ma belle-sœur, une bonne personne, mais qui avait le don d'entraîner partout la police avec elle. Ainsi, c'est elle qui devait livrer l'argent provenant de la vente de ma Jeep, et je lui avais demandé de rencontrer un ami chez Harvey's. Arrivée là, il n'était pas question pour elle de s'éterniser. Elle déposait le paquet au ras de l'ouverture de l'une des boîtes à ordures de l'établissement, où il était prestement récupéré par mon messager. Bref, les deux intermédiaires devaient normalement se croiser. Adossé contre un arbre dans un parc faisant face au restaurant, je la surveillais au moyen de jumelles. Madame avait décidé de mémérer, de bavarder avec mon ami et s'était assise pour prendre un café avec lui ! J'enrageais et étais prêt à monter dans ma voiture et à défoncer la vitrine... Fort heureusement, ce jour-là elle n'avait pas été filée.

Vers la fin de septembre 1993, Sourire décida de se mettre en contact avec moi. Il m'envoya un message du genre « Le gros veut voir le grand », avec deux numéros de téléphone dont un de cellulaire. Les affaires allaient-elles reprendre ? Nous nous sommes rencontrés dans une salle de quilles à l'est du boulevard Pie-IX, rue Jean-Talon. Je m'étais laissé pousser une barbe abondante, inspirée de celle des habitués des cafés « intellos » de la rue Saint-Denis, et m'étais teint les cheveux. J'expliquai mes difficultés financières à mon ex-associé et parlai des conditions que le milieu m'imposait pour me maintenir dans la clandestinité. On abusait manifestement de moi en me vendant le moindre service très cher, sachant pertinemment que j'étais à la merci de mes « bienfaiteurs ». Je fis appel à sa solidarité, au nom de notre vieille camaraderie, mais il refusa de m'aider. Il me demanda simplement de le revoir la semaine suivante. « J'attends d'autres renseignements. J'ai quelque chose de bon qui s'en vient », se contenta-t-il de me dire.

Il m'appela un matin d'octobre. La vieille équipe devait se reconstituer, avec Normand et moi et, en plus, des gens de Laval, de Montréal, plus des informateurs qui devaient surveiller le siège social de Sécur avec des jumelles afin d'enregistrer les allées et venues des fourgons. Sept ou huit personnes en tout. Le coup devait être important, pour que chacun puisse avoir sa juste part du butin. Bref, nous devions être plus que jamais le fléau de Sécur. Le plan consistait à enlever la famille du président-directeur général de la société pour l'est du pays, ainsi que celle du directeur de la sécurité, et de recourir à un deuxième instrument de chantage extrêmement puissant : une mallette piégée, verrouillée électroniquement au poignet du numéro un de la maison et munie d'un système électronique à messages brouillés, efficace dans un rayon de 20 à 25 mètres, nous permettant non seulement de savoir s'il exécutait les directives qu'on lui avait données, mais aussi de le rappeler à l'ordre. Un cauchemar pour film de science-fiction !

Nous savions que les locaux de Sécur, situés rue Chauveau, étaient ouverts 24 heures sur 24, et que l'argent n'arrêtait pas d'y circuler. Par conséquent, il fallait que la chambre forte puisse être ouverte à n'importe quelle heure. Grâce à notre éternelle taupe, nous connaissions le montant des sommes en transit, le nombre d'employés qui se trouvaient sur les lieux à une heure donnée, le nom des cadres de la maison, leur situation de famille. Mais il nous manquait leurs adresses. Nous savions cependant que le directeur de la sécurité habitait Laval et le président, Montréal. Il avait fallu deux mois pour concocter notre coup, qui devait être réalisé vers la mi-décembre.

Nos hommes avaient filé pendant un certain temps le président et le directeur de Sécur et nous avions rassemblé un maximum de renseignements concernant leurs habitudes personnelles. La première partie du plan consistait à enlever à leurs domiciles femmes et enfants de ces gestionnaires. L'action se déroulait simultanément à Laval et à Montréal, boulevard Saint-Michel. Comme d'habitude, je m'occupais de la coordination électronique. Normand prenait soin du président, une autre équipe se chargeait du directeur de la sécurité. Dès que le président se trouvait prisonnier et sa famille rassemblée, l'équipe de Laval débarquait avec la femme et les enfants du directeur de la sécurité et tout ce beau monde était réuni en lieu sûr dans quelque entrepôt, loin des regards curieux. Les otages devaient être rassurés et traités avec un maximum de courtoisie. Ils ne constituaient qu'un moyen de pression et nous n'étions pas de ces fanatiques politiques ou religieux qui prennent un plaisir sadique à humilier ou à terroriser leurs victimes.

Le président était isolé. La solitude de l'artiste... Tandis que Normand lui faisait part de nos exigences, je devais lui attacher au poignet la mallette contenant le dispositif électronique mis au point par mes soins et lui fournir toutes instructions utiles. Je lui expliquais que cet attaché-case était bourré d'explosifs et que si on sectionnait le bracelet électronique qui reliait la mallette à son poignet, tout sautait. Le seul moyen de se débarrasser de cet encombrant bagage était de faire ce qu'on lui demandait et de nous laisser ouvrir la serrure, ou encore de se faire couper la main, comme le prescrit la loi islamique pour les petits voleurs de pain. Automutilation et hara-kiri n'étant guère dans nos habitudes culturelles, le président se serait sagement assis pendant le déroulement de l'opération et aurait obtempéré, d'autant plus qu'il savait sa famille en otage. On me pardonnera ce mauvais jeu de mots, mais le bonhomme, avec son attaché-case, se trouvait moins attaché que ficelé comme un rosbif.

Une affaire « bombe en main »

Ce qu'il y avait d'un peu diabolique dans l'affaire, c'est qu'au départ ce même président n'aurait jamais su qu'il se trouvait branché à une mallette « intelligente », qui semblait comprendre chacun de ses gestes. Supposons que ce monsieur, qui, après tout, était peut-être d'un courage téméraire, se soit aventuré à jouer avec le couvercle ou les serrures de la mallette. Le geste aurait déclenché un message qui nous aurait été transmis par signal cellulaire brouillé. Dès que nous étions avertis, il nous suffisait de prendre une grosse voix pour rappeler à l'ordre le gestionnaire mal inspiré : « Fais pas le cave, bonhomme... Tu as 15 secondes pour fermer tout ça. Pense à ta famille et à ta propre peau... » À l'exception d'héroïques patriotes n'ayant plus rien à perdre (on trouve nombre de ces cas dans les annales de la Seconde Guerre mondiale), je ne connais pas d'être humain normalement constitué prêt à passer outre à un tel avertissement et à défendre son employeur à ce prix- là. Je pense d'ailleurs que, dans une telle situation, la grande majorité des gens attraperaient la jaunisse ou une colique carabinée.

J'avais conçu l'engin de manière que la valise ne saute pas en cas de pépin. Selon nos habitudes, il n'était pas question de faire de carnage. Oui mais voilà, le monsieur l'ignorait et n'était certainement pas assez tête brûlée pour prendre le risque de désamorcer ou de détruire la mallette. Ainsi arrangé, le président de Sécur arrivait à son bureau « bombe en main ». Il avertissait le contrôleur ainsi que l'ensemble du personnel, soit huit personnes environ, que le directeur de la sécurité et sa famille, tout comme sa famille à lui, étaient gardés en otages. Il montrait à ses employés l'attaché-case piégé et leur disait en substance : « Tous, autant que nous sommes, demeurons

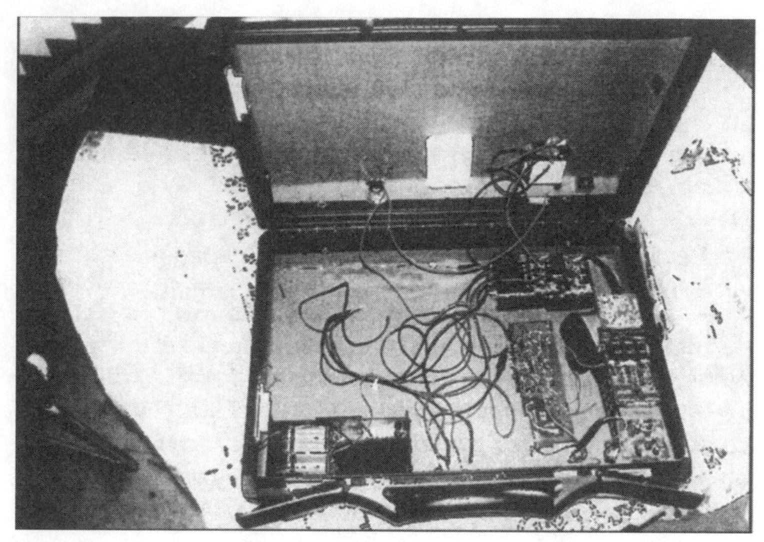

La mallette diabolique à laquelle le président de Sécur devait être attaché et qui devait nous informer de ses faits et gestes.

à leur merci. Mieux vaut faire ce qu'ils demandent... » Et, ne l'oublions pas, nous écoutions et pouvions intervenir pendant ce discours s'il ne nous convenait pas...

Le moyen de pression était vraiment de taille. J'ai eu l'occasion d'apercevoir le président, un homme de 1,80 mètre, vêtu sobrement, portant souvent une veste de cuir noir. Il arrivait chez lui, un appartement situé au quatrième étage d'un immeuble résidentiel, vers 18 h 30. Ce bon vivant ne dédaignait pas prendre un verre dans les brasseries, et ses heures de retour n'étaient pas régulières. Je dois avouer que la sécurité de... Sécur n'était pas aussi déficiente que nous l'avions d'abord pensé, parce qu'il nous avait été impossible d'obtenir les détails habituels sur les personnes que nous visions par les sources auxquelles Sourire avait recours d'ordinaire, c'est-à-dire ses informateurs chez Bell Canada ou dans des organismes comme la Société de l'assurance automobile du Québec. Les adresses se limitaient à des boîtes postales ou à des sièges sociaux d'entreprises. Il nous avait fallu faire appel aux services d'un policier ripou de la CUM (eh oui ! il s'en trouve toujours un quelque part).

On m'avait raconté qu'il y avait 300 millions de dollars à rafler dans ce coup. Selon mes renseignements, j'arrivais à un chiffre plus modeste : entre 75 et 100 millions. Même divisée par huit, cette somme nous laissait de 9 à 12 millions chacun, et je vous fais grâce de la grenaille... Bref, un beau gain de loterie pour se la couler douce. Je crois que Sourire possédait la liste du personnel, qui indiquait combien d'employés devaient être de service le soir de l'attaque, mais il ne me l'a pas montrée, pas plus que la liste de circulation des capitaux qui transitaient dans les bureaux. Il y avait toujours ce cloisonnement que j'acceptais, mais je trouvais que mon partenaire se montrait de plus en plus mystérieux à mon égard et que, maintenant, il me considérait peut-être comme une sorte de « zigonneux » tout juste bon à bricoler des bombinettes. Il s'était contenté de faire allusion à un camion spécial en provenance de Québec. Il s'agissait du dernier de la soirée et il devait s'ajouter à d'autres chargements juteux. Ce fourgon arrivait vers 19 h 30 et repartait une demi-heure plus tard. La scène se passait aux bureaux de Sécur, rue Chauveau, et le ramassage de toutes ces valeurs devait avoir lieu un mercredi, jour faste entre tous selon nos informateurs.

« Prenez le foin et sacrez vot' camp ! »

Nous possédions des armes, mais n'en avions guère besoin. La valise piégée, que j'avais amoureusement conçue et réalisée, demeurait l'un de nos meilleurs moyens de persuasion. Nous avions par contre mobilisé quatre camions volés que nous avions décapés, repeints et lettrés avec des panneaux magnétiques au nom d'entreprises de rénovation domiciliaire bidon. Le premier avait été livré dans le stationnement du Bon Marché, un magasin spécialisé dans la vente d'articles de maison à rabais. Il fallait que j'attende dans ce camion. On m'amenait le président de Sécur. Je m'en allais dans le stationnement du motel Universel, dans le secteur des rues Viau et Sherbrooke, où l'on transférait notre homme. Normand devait me rejoindre lorsque le président était installé dans le véhicule. C'est alors qu'on ouvrait la valise et qu'on expliquait à notre cadre supérieur l'installation électronique, assez impressionnante pour un profane. Je le rassurais. S'il suivait les directives, il n'avait rien à craindre. S'il les enfreignait, il n'avait qu'à en assumer les conséquences.

Nous ne devions pas porter de cagoules, mais ce que nous appelions des *kits* en latex, des masques saisissants de réalisme recouvrant les vrais visages, comme on en utilise au cinéma et au théâtre, avec moustaches et barbes postiches. À travers une vitre d'auto, il fallait vraiment prêter attention pour déceler la supercherie. L'enlèvement devait se dérouler vers 18 h 45, en fonction de l'heure à laquelle le président s'arrêterait à sa brasserie favorite. Je l'ai mentionné, il n'avait pas d'habitudes fixes. Dès que nous l'avions capturé, l'ordre était d'enlever le directeur de la sécurité et sa petite famille, comprenant deux fillettes.

La police m'a posé beaucoup de questions sur la planification de ce braquage un peu particulier, mais je ne pus lui en fournir tous les détails en raison du cloisonnement dont j'ai déjà parlé. Une chose était certaine, chacun avait sa spécialité et la mienne se rapportait à la valise prétendument piégée, sur laquelle toute l'opération reposait. Le reste dépendait de l'attitude du dirigeant local de Sécur. Nous savions que cet homme n'avait pas décroché ce poste pour sa seule apparence avantageuse. Bref, nous n'avions pas affaire à une tarte et, dans ces conditions, il était facile de prévoir le comportement de notre otage avec réalisme. Si vous me collez un AK-47 dans le dos, je ne vais pas méditer sur les états d'âme de mes agresseurs ni épiloguer sur les possibilités d'un bluff. Je vais me dire : « Tant pis pour le foin. Prenez-le et sacrez vot' camp ! » C'est ainsi qu'il devait normalement réagir.

La valise, si impressionnante fût-elle, était une vraie bombe quoique sans détonateur. L'explosif, du Magnafrak, était bien là, mais les deux fils qui entraient dans le bâton de boum-boum n'étaient pas branchés. J'aimerais préciser que le Magnafrak est un explosif à détonation rapide. Là où la dynamite effrite, le Magnafrak fend. Grâce à lui, les carriers séparent des blocs de pierre de 100 tonnes avec autant de netteté que s'ils les coupaient à la scie. Pour les connaisseurs, Magnafrak est un nom inquiétant, et le président avait été mis au courant. Bref, l'attaché-case n'était qu'un leurre, ce qui ne voulait pas dire qu'on pouvait le poser sur un poêle ou s'en servir comme d'un ballon de football. En tout cas, une chose était certaine : il existait des *dynamiteros* plus vicieux que nous...

La stratégie consistait à faire entrer un camion de type « cube » dans l'entrepôt avec le président et sa valise. À partir de là, c'était à lui de jouer. Avec l'intervention discrète de deux de nos hommes, il faisait charger les sacs sur des chariots, puis dans le camion, et nous rejoignait à l'usine de charcuterie Lafleur, rue Notre-Dame, au coin de Dickson. Après l'avoir libéré de la mallette, j'allais larguer l'obligeant boss des convoyeurs de fonds près d'une station de métro. Le plan était suffisamment imaginatif pour que ce soit la victime qui fasse tout le boulot seule... ou presque.

Côté technique, nous avions des cellulaires programmés. Sourire en possédait un, muni d'un brouilleur permettant d'entendre tout ce que le président disait. Moi, j'avais un autre téléphone qui, si le président commettait une erreur, faisait sonner un premier téléavertisseur. Il y en avait un second qui, théoriquement, en cas de récidive, expédiait le porteur de valise chez M. Saint-Pierre. Mais même si la bombe avait été amorcée, nous n'aurions jamais eu à utiliser le second téléavertisseur... La machine infernale était au point, restait à la mettre en marche, plus précisément le 15 décembre 1993.

Une Mercedes peu performante

J'aimerais revenir sur les petits boulots qui me permettaient de ne pas perdre la main avant de me relancer sur un gros coup et de régler les sommes astronomiques que le milieu avait portées à mon compte pendant que j'étais en cavale. Je rencontrai par personne interposée un Italien qui connaissait ma réputation et qui se présenta sous le nom de Vince, sans doute un pseudonyme. Il s'agissait de toute évidence de l'un de ces hommes tampons travaillant pour quelque famille d'un puissant « syndicat » qui n'a pas grand-chose à voir avec les travailleurs.

Il me demanda de fabriquer une bombe qu'une autre personne devait déposer sous une voiture, une Mercedes, « mais seulement pour intimider le propriétaire », s'était-il empressé de préciser, ajoutant qu'il s'agissait d'un simple avertissement, d'une histoire de rivalité entre d'importants restaurateurs. Il fallait que l'homme à la Mercedes s'en oublie dans ses culottes et sans doute qu'il accepte, selon la formule bien connue, des conditions qu'il ne pouvait refuser. Leurs salades ne m'intéressaient pas, mais j'exigeai des garanties : il ne devait pas y avoir mort d'homme. D'ailleurs, Vince connaissait mes réticences et je portais toujours, comme je l'ai souligné précédemment, deux vieux crimes par dynamitage sur la conscience. Contrairement à ce que l'on pense, il existe un certain code d'honneur dans le milieu, qui vaut bien celui de nos gros financiers. Quiconque le transgresse est vite brûlé, car les nouvelles se répandent à la vitesse de l'éclair dans ce monde. Il n'hésita pas à m'assurer qu'il n'y aurait pas de victime et que le tout se déroulerait le plus proprement du monde. Je pris sa parole.

Il me proposa 1500 $ pour fabriquer l'engin que d'autres étaient chargés de déposer sous la voiture. Il m'indiqua un contact qu'il appela Dany, mais qui aurait tout aussi bien pu s'appeler l'ange Gabriel. Fidèle à mes habitudes, je leur fournissais du « service après-vente » et leur demandais de m'appeler s'ils éprouvaient quelque difficulté ou s'ils désiraient désamorcer la bombe, dont l'explosif était fait de poudre blanche, le but étant de rendre la voiture inutilisable.

J'ai fait plusieurs désamorçages pour des gens qui tremblaient à la seule idée d'approcher un engin qui refusait de sauter. S'ils insistaient pour poser eux-mêmes leur bombe artisanale, je leur demandais de filmer l'installation sur vidéo, de façon que je puisse voir comment ils avaient procédé. Même lorsque je n'étais pas l'installateur, je pouvais repérer le point faible juste en regardant l'extérieur de la bombe. Par exemple, si je remarquais qu'on s'était servi de dynamite qui avait cristallisé, je ne me hasardais pas à me coller les doigts dans cette saloperie, car il suffisait d'un peu d'électricité statique pour dire *bye bye...* J'aspergeais alors la bombe d'azote liquide qui la neutralisait, ce qui me donnait cinq bonnes secondes pour couper les fils.

Pour en revenir à la bombe sous la Mercedes, disons que mes Italiens, probablement « gratteux », avaient voulu faire des économies sur leur téléavertisseur. De plus, les jeunes qu'ils employaient semblaient « avoir la chienne », être du genre assez trouillard. J'ai déjà dit comment je concevais mes dispositifs de sécurité : avec des fiches semblables à celles des guitares électriques. La bombe n'était armée que lorsqu'on enfonçait la fiche à fond dans la prise, en tout dernier lieu. Sur mes téléavertisseurs, j'avais également un double système de sécurité. Seul le deuxième signal faisait détonner la bombe.

Je ne sais trop comment ils avaient manié le tout. Une chose est certaine : les apprentis artificiers avaient refusé d'enfoncer la fiche dans la prise de peur de tout faire exploser. Décidément, on n'a plus les *tough guys* qu'on avait... Ce travail d'amateur était désolant et, lorsque mon contact m'appela, désemparé, j'eus la tentation d'informer la police pour qu'elle se charge du désamorçage. Finalement, ce sont mes Italiens qui appelèrent l'intéressé lui-même, qui abandonna sa voiture sur l'autoroute Métropolitaine, non loin de la sortie Décarie. La police essaya de faire sauter l'engin à l'aide d'une petite charge, mais en vain. Finalement, elle le neutralisa. Cela donna lieu à un embouteillage monstre et à une belle couverture médiatique. Devant un tel fiasco, j'étais heureux au fond d'avoir seulement fabriqué cette bombe. J'étais moins satisfait de l'avoir mise entre les mains d'incompétents. Après tout, ce n'est pas rien la fierté professionnelle...

Le job de Cornwall

Le fameux « service après-vente » peut parfois vous mener loin. En prison, par exemple. C'est exactement ce qui m'est arrivé pendant ma cavale à l'issue du deuxième contrat à la bombe qui me lança la police provinciale de l'Ontario aux fesses. Et, quand on tombe dans les mains d'un corps policier, chacun sait que les ordinateurs se mettent à « placoter » abondamment pour rassembler tous ces messieurs dans des conférences téléphoniques et dans de fraternelles agapes où ils étalent notre curriculum vitæ et les affaires non classées dans lesquelles nous aurions pu être impliqués. J'avais eu un contrat dont l'objet était d'occasionner des dommages à un édifice qui comprenait un gymnase, une salle de billard et des boutiques, à Cornwall, en Ontario. J'avais posé la bombe vers les quatre ou cinq heures du matin. Elle fonctionnait à l'aide d'une minuterie qui devait déclencher l'explosion vers 6 h 30, alors que les lieux étaient déserts. Un petit feu d'artifice vite fait, bien fait.

Là encore, j'ai rarement eu autant de difficulté à remplir correctement un contrat. La première fois, même si la bombe avait explosé, les commanditaires s'estimèrent insatisfaits des dommages qu'elle avait causés à la bâtisse. Dans un esprit de service à la clientèle, j'ai donc fabriqué une deuxième bombe qui n'a pas explosé. Le type qui devait la poser avait attendu quatre jours de trop et les explosifs avaient perdu de leur force. Ces gens prirent peur. Je suis donc allé à Cornwall pour récupérer l'engin récalcitrant et me suis dit qu'étant donné qu'on n'est jamais si bien servi que par soi-même, pour la troisième fois, c'est moi qui m'en chargerais personnellement. C'est ce que je fis. La bombe explosa sans histoire et je touchai 3 000 $ pour ce travail.

Cette minable affaire conduisit à mon arrestation, dans la maison d'un certain M. Palumbo, à Saint-Jean, au Québec, le 14 décembre 1993. La police trouva sur les lieux un véritable arsenal qui m'appartenait. On se rappellera que le 15 décembre était la date prévue pour la super prise d'otages de Sécur, avec 100 millions à la clé. Le ciel me tombait sur la tête encore une fois, un autre rêve partait en fumée, et il y avait certainement quelqu'un là-haut qui n'était pas d'accord avec nos plans. On dit que les voies du Seigneur sont impénétrables. C'est possible, car cette arrestation me sauva peut-être la vie.

Un bouquet de fleurs... au cimetière de la Côte-des-Neiges

En effet, alors que nous étions en train de planifier l'enlèvement des cadres supérieurs de Sécur, je commençai à me méfier de mes partenaires. L'acte perpétré, Sourire devait me remettre ma part seulement trois ou quatre jours plus tard. Avec un air de conspirateur, il me proposait de le rencontrer dans une cave très anonyme ou encore dans un quelconque bled. Ce n'était pas son habitude. Précédemment, cela avait été plus simple. C'est pourquoi je retardais l'opération en prétextant des problèmes techniques. Sans être paranoïaque, je tentai de mettre Sourire et Normand sur écoute, car leur comportement ne me disait rien qui vaille et je n'avais pas envie de me faire « enfirouaper ».

Si l'information c'est le pouvoir, un homme informé, faute de détenir ce pouvoir, peut au moins parvenir à survivre en ayant toujours un coup d'avance par rapport à ceux qui veulent sa perte. Je me méfiais particulièrement de Normand, un type capable d'arrondir sommairement les coins. D'ailleurs, Sourire le craignait et, advenant le cas où Normand aurait décidé de me faire la peau, je suis persuadé qu'il ne se serait pas interposé pour me défendre. Aux yeux de Sourire, ma vie ne valait pas une confrontation. Et puis, si je disparaissais, cela faisait une part de moins à donner.

Pour toucher mon argent, on me suggérait aussi de trouver une adresse loin de Montréal, dans un trou quelconque d'où l'on pouvait voir venir les gens de loin. De plus, je devais être absolument seul. Pourquoi pas dans les bois, à 50 kilomètres de toute présence humaine, après avoir préalablement creusé ma tombe et en fournissant gracieusement les armes pour me supprimer ? On me prenait vraiment pour un cave. « T'en fais pas... Les gars te le livreront, ton argent... », me répétait Sourire. Il aurait pu ajouter : « Avec, en prime, un beau bouquet de fleurs au cimetière de la Côte-des-Neiges... » D'habitude, c'était lui qui me livrait l'argent, et avec plaisir. Comment expliquer que, maintenant, il lui fallait des messagers et pourquoi me traitait-il moins bien qu'un *punk* tout juste bon à voler des camionnettes ? Ce sont les petites pailles qui indiquent la direction du vent, et je remarquais qu'il se montrait assez *cheap* pour ne pas même me payer un café...

Depuis des années que je travaillais avec Sourire, j'avais observé qu'il opérait toujours de la même façon. C'était toujours lui qui recrutait les équipiers que nous appelions les hommes de sous-main. D'un seul coup, il avait décidé que je devais trouver un assistant pour kidnapper le directeur de la sécurité de Sécur. J'étais d'autant plus sur la corde raide que Sourire ne voulait rien connaître du candidat et se moquait bien de savoir qui j'allais choisir. Or on ne monte pas un coup de 100 millions de dollars sans savoir avec qui on travaille. Mon impression était qu'il tenait à ce que je me mouille au maximum dans cette affaire, quitte à me liquider après, peut-être en compagnie de mon adjoint.

Mes soupçons les plus affreux se confirmèrent lorsque, dans le cadre de l'enquête sur le vol du fourgon blindé de Sécur, on produisit, parmi les pièces à conviction découvertes dans le motorisé Southwind, un pistolet muni d'un silencieux. Depuis quand des braqueurs, qui se voulaient dissuasifs, mais rejetaient la violence, utilisaient-ils des armes de tueurs à gages ou de « nettoyeurs » des services secrets ? Pourquoi un silencieux, sinon pour supprimer discrètement quelqu'un ? Je pouvais bien regretter la perte de ma part des 47 millions et plus trouvés dans le fourgon, mais si le coup avait réussi, il est plus que probable que je n'aurais jamais eu le temps de profiter de cet argent. Comme le disent les Mexicains, « les morts ne parlent guère... » Sourire n'était peut-être pas le type à faire cela, mais il n'aurait éprouvé aucun scrupule à confier le boulot en sous-traitance à son complice.

Dans l'affaire du tunnel de la Banque de Montréal, Sourire m'avait demandé mon appui parce que Normand prenait un peu trop d'ascendant sur l'équipe. J'avais alors découvert que Normand était un brasse-merde. Il avait sournoisement demandé à Sourire : « Savais-tu que le frère de Marcel Talon est un ex-délateur ? » Sourire, qui connaissait la petite histoire des malfrats montréalais, n'avait pas fait le rapprochement, mais cette révélation avait semé le doute dans son esprit.

En effet, le 31 mars 1964, mon frère Pierre participait à un vol postal de 1,2 million de dollars, qui s'était déroulé rue Windsor, au centre-ville de Montréal. À 17 heures, un camion postal quittait la rue de La Gauchetière en direction de l'est. Les braqueurs disposaient de trois camions volés. Deux de ceux-ci prirent le camion postal en sandwich et le troisième servit à enlever le butin et à assurer la fuite. Le raid se déroula sans anicroche, mais il y eut des problèmes de partage, des rivalités, bref le genre de bisbille qui, la plupart du temps, ternit les plus belles réussites de voleurs qui, pourtant, ne manquaient pas d'envergure au départ. Il ne faut pas oublier que la devise du monde criminel pourrait être, comme chez les anarchistes, *Ni Dieu ni maître,* et qu'il est extrêmement difficile de contraindre des gens qui, s'ils avaient accepté quelque forme d'autorité, auraient été des citoyens sans histoire.

Pour des raisons qui le regardent, Pierre est devenu délateur, risquant ainsi sa peau. À cette époque, un délateur n'avait pas le statut qu'il a aujourd'hui. On l'appelait alors un *stool,* terme qui dérive de l'expression anglaise *stool pigeon,* qui est un appeau, c'est-à-dire un oiseau dressé à appeler les autres et à les attirer. Plus vulgairement, *stool* signifie aussi excréments. Il avait le même sens péjoratif que les Français attribuent à « indic », à « donneuse », à « mouchard ». En échange des renseignements qu'il avait fournis, les autorités passèrent l'éponge, et Pierre se réfugia aux États-Unis. Il paya cher sa délation, car, dans le milieu criminel, c'est souvent toute la famille qui trinque. En 1971, sa femme, une mère de deux enfants, fut lâchement assassinée. Lorsque mon frère est devenu délateur, j'étais en taule et j'ai demandé que l'on m'envoie dans une prison commune, car, en 1965, porter le nom de Talon derrière les grilles constituait une lourde hérédité, et pas seulement parce que vous étiez un homonyme du célèbre intendant de Louis XIV...

Retour de flammes...

Depuis que Normand avait évoqué ces vieilles histoires et monté la tête de Sourire, le doute s'était insinué dans l'esprit de ce dernier et devenait comme une sorte de cancer. Et puis, le cheminement de la pensée de quelqu'un est imprévisible. La sagesse populaire dit que les calomnies sont comme un oreiller de plumes que l'on éventre en haut d'un clocher un jour de grand vent. Elles partent au loin et on ne peut en rattraper qu'une infime partie. Le mal est fait. Sourire était intelligent, un partenaire fiable, mais il ne pensait qu'à lui. À la suite de l'affaire de l'avion blindé de Dorval, en 1990, selon les renseignements que j'avais obtenus, les Sigouin n'étaient pas les seuls responsables des pertes que nous avions subies lors de la vente des valeurs. Sourire était responsable d'un trou de 800 000 à 900 000 $.

J'en étais rendu à imaginer un dispositif à capteurs qui aurait supprimé Normand s'il s'était avisé de m'abattre. Rien de compliqué. Dès que mon cœur s'arrêtait de battre, tout sautait et... lui avec ! À la vie, à la mort, *partner* ! Pour Sourire, le coup des cadres de Sécur devait être le dernier (toujours le mythe de l'ultime mégajob), un beau dernier coup en vérité, où l'on supprimait l'un des témoins importants.

Dans cette peu réjouissante perspective, j'avais sous la main un silencieux maison que Sourire m'avait procuré. On se demandera comment un type intelligent comme lui pouvait penser à éliminer un ancien compagnon d'armes. J'avais plus de 50 ans, une femme, des enfants. Si je me faisais prendre, je devenais encombrant. Je devenais lourd à assumer pour un égoïste qui n'avait pas d'amis.

J'avais toujours respecté sa vieille mère ainsi que la famille de Normand et ces deux-là étaient venus importuner ma fille pour lui demander où se trouvait la fameuse mallette. Tout cela sentait très mauvais. Comme l'employeur qui a l'intention de congédier un collaborateur commence par l'isoler subtilement des centres de décision ou l'affecte à un emploi inintéressant, Sourire envoyait malgré lui des messages qui ne laissaient rien présager de bon.

Je commençais déjà à avoir marre de leurs salades avant mon arrestation. Dès que j'ai été arrêté, la première chose qu'ils firent fut de mettre au courant ma fille du coup que nous préparions. Elle en savait dorénavant assez pour se faire liquider. Il n'y a pas un gars sérieux du milieu qui irait informer une personne de 20 ans d'un coup de 100 millions. Si le braquage avait eu lieu, elle n'en serait pas sortie vivante. Ma fille vint me raconter à la prison de Cornwall la visite du duo et j'explosai de rage. Je n'acceptais pas qu'ils étalent mes crimes devant ma famille. J'avais toujours gardé mes enfants loin du milieu criminel, et la visite de ces complices chez les miens constituait un manque total de respect pour nous tous.

Et puis, je commençais aussi à en avoir par-dessus la tête du milieu. Chaque journée de cavale m'avait coûté une fortune. Chaque coup de pouce, chaque planque me coûtaient deux ou trois fois plus cher en cavale qu'en temps ordinaire. Et voilà que maintenant, on voulait me faire la peau ! Jamais je n'avais vécu une situation semblable. La solidarité des durs à cuire n'était qu'un cliché de cinéma. Des vautours plutôt, capables de bouffer les leurs. L'avenir était des plus sombres et, peu après mon arrestation, je décidai qu'il n'y avait plus rien à attendre de ce monde-là.

C'est alors que, devant les sergents-détectives Marc Boisvert et Gilles Lavergne, ainsi que d'autres enquêteurs de la police de la Communauté urbaine de Montréal, je fis une déclaration qui devait demeurer confidentielle, ne pas sortir du service de la police et du bureau du procureur de la Couronne. Les policiers s'engageaient à ne pas s'en servir contre moi ni contre personne. L'entrevue dura six heures. Après m'être senti trahi, je n'hésitais pas à fournir ces renseignements.

Il ne s'agissait pas véritablement d'une délation, car je n'avais conclu aucune entente avec la Justice. L'homme de la rue l'ignore généralement, mais la police possède des centaines de noms de présumés coupables dans différentes affaires. Elle sait, par exemple, que Pop-le-Têteux ou Jack-le-Crosseur a « organisé le cadran », c'est-à-dire réglé son compte à telle ou telle personne. Elle connaît le *modus operandi,* les lieux et l'heure, mais demeure souvent pieds et poings liés parce qu'elle ne possède pas suffisamment de preuves et qu'aucun témoin n'est prêt à se présenter devant un tribunal. Tout amateur de films a vu cela dans les productions américaines. Même si notre Code criminel n'est pas le même qu'aux États-Unis, il est également d'origine anglo-saxonne et s'inspire d'une philosophie analogue. Pop et Jack peuvent donc circuler librement, auréolés d'une gloire toute relative et entourés d'un certain respect dans le milieu. Ils ne connaîtront la prison que lorsque quelqu'un acceptera de témoigner, avec de fortes preuves à l'appui, car les avocats de ces messieurs feront tout pour discréditer et confondre le témoin et la pression du milieu sera forte pour empêcher les « canaris » de chanter.

Cela s'applique également aux policiers pas très nets. Il y a quelques années, un détective abattit un indicateur dans les locaux de la police et déclara que l'individu l'avait menacé d'un revolver. On retrouva l'arme de l'indic, bien sûr, un quelconque .38 au numéro de série limé, mais certains éléments de cette affaire demeuraient nébuleux. Les collègues du policier avaient de bonnes raisons de croire que l'indicateur commençait à devenir gênant pour leur compagnon de travail, dont les méthodes étaient assez peu orthodoxes et dont la réputation n'était pas exempte de taches. Ils en parlaient beaucoup autour de la machine à café et l'affaire fut même connue dans le milieu criminel. On racontait que le revolver de l'indic avait probablement été saisi par notre policier douteux au cours d'une rafle, non déclaré dans ses rapports et placé dans la main de l'indicateur compromettant. Simples ragots ? Ce qui ressemblait à une exécution sans témoin n'alla pas plus loin, faute de preuves. Le détective encombrant put faire valoir ses droits à la retraite et la police, comme toute institution qui ne tient pas à être éclaboussée par les bavures de ses membres, enterra cette lamentable histoire, que l'on commenta encore longtemps pendant les pauses syndicales et les fêtes de fin d'année. Les journalistes, même ceux qui se spécialisent dans les enquêtes, se gardèrent d'approfondir ce mystère qui ne pouvait que leur apporter des poursuites en libelle diffamatoire. Ainsi est faite la Loi. Si vous désirez la changer, devenez un éminent juriste, faites-vous élire et montez à la tribune.

Mes révélations constituaient donc une bombe à retardement, mais je n'avais signé aucun contrat avec la justice. Après 35 ans d'activités criminelles, je me contentais de faire le saut et amende honorable. Personne n'était accusé et je n'avais pas accepté de servir de témoin. Si je jetais quelque éclairage sur des histoires anciennes et plus récentes, dans lesquelles j'étais d'ailleurs impliqué, cela, on l'a vu, ne menait à aucune condamnation. Ces révélations pouvaient aider la justice. De là à faire condamner qui que ce soit, il y avait tout un cheminement judiciaire.

La table est servie...

Avant mon interrogatoire, j'avais précisé aux policiers qu'à la fin de tout je me réservais le choix de témoigner ou de ne pas le faire. La Justice pourrait porter des accusations seulement une fois l'entente signée avec les autorités. Après une longue carrière criminelle, je trouvais difficile de sauter la clôture à pieds joints. Comme je l'ai déjà mentionné, tant que le contrat n'était pas signé, je n'en reconnaissais pas les termes. Avec ma longue expérience du milieu, j'étais en mesure de faire incarcérer la moitié des malfaiteurs qui vivent à Montréal, mais ce n'était pas mon but. S'agissant d'un contrat, j'ai toujours eu l'impression d'avoir le dernier mot. S'il ne me satisfaisait pas, je ne le signais pas. C'était aussi simple que ça.

Avant que je me décide, la procédure avait pris un certain temps. On a vu comment, à la suite de mon arrestation, j'avais fait une sorte de résumé de mes activités criminelles échelonnées sur 35 années, une déclaration sans *red tape,* avec un minimum de tracasseries administratives. Vous auriez dû voir les policiers qui s'entassaient dans la salle ! Ils étaient au moins huit. Chaque enquêteur qui cherchait à résoudre, par exemple, le hold-up de l'avion blindé de Dorval, l'affaire du tunnel de la Banque de Montréal, l'attaque du fourgon de Sécur, le 8 juillet 1993, était là. Une touchante réunion de famille.

Cette séance d'information, non dénuée d'humour, se déroula avec un minimum d'acrimonie. C'étaient de vieux adversaires qui se retrouvaient et non de vieux ennemis. Les policiers savaient que je ne les haïssais pas et que je respectais certains d'entre eux. Avec moi, ils n'affrontaient pas un forcené comme Blass ou Mesrine. Je reproche par contre la confusion qui régnait au sein de cette réunion. On passait du coq à l'âne, de 1990 à 1993, puis de retour à 1982. Un vrai charivari. Il est vrai que les questions se bousculaient dans la tête de ces limiers, qui n'en revenaient tout simplement pas et qui rêvaient déjà de classer des affaires jusque-là demeurées mystérieuses.

Le détecteur de mensonges

La deuxième rencontre donna 110 pages format officiel (le bon vieux 8 1/2 × 14 pouces) de transcription. Elle se déroula en présence des sergents-détectives Boisvert et Lavergne avec, en guise de témoin silencieux, une enregistreuse. Ils me déclarèrent qu'ils allaient soumettre le tout à leurs patrons, parler aux personnes concernées et rencontrer des gens au ministère de la Justice. C'est peu après qu'ils sont venus me voir à Cornwall pour me demander de me soumettre au polygraphe ou détecteur de mensonges. « Plusieurs des grands patrons ne croient pas les choses que tu as révélées », me dirent-ils. Le sergent-détective Lavergne a ajouté : « Marcel, si tu refuses de subir ce test, on arrête tout. » Cette formalité ne me gênait aucunement. Déjà prêt à rompre avec mon passé criminel, je me jetais à l'eau.

Les policiers qui avaient assisté à mon déballage de coups oubliés et à la mise à nu de mes souvenirs m'avaient cru, mais pas les autorités supérieures de la police, particulièrement en ce qui concernait la préparation du coup où nous devions enlever les cadres supérieurs de Sécur. Ils prenaient cela pour de la science-fiction (ils durent se rendre plus tard à l'évidence, lorsqu'on leur présenta la fameuse mallette). En attendant, ils n'avaient pas trouvé mieux que de demander que l'on me branche sur leur zinzin. Les spécialistes savent que le polygraphe ne transmet pas de réponses d'une rigueur mathématique. Il fournit avant tout des indications, livre des pistes, permet de lever un coin du voile grâce à des questions qui se croisent et permettent de recouper l'information. Il n'y a rien de magique là-dedans. Celui ou celle qui tente de dissimuler des choses qui le perturbent se trahit par certaines réactions physiques inconscientes qui permettent souvent de découvrir son jeu. J'avais exigé que tout ce que je pouvais avouer pendant mon interrogatoire sous polygraphe ne serve jamais de preuve contre qui que ce soit. J'ai passé le test le 7 janvier 1994.

Le technicien m'a expliqué le fonctionnement de l'appareil. On m'a ensuite posé des questions relatives à mes révélations, par exemple si je connaissais le nom de la taupe ou informateur chez Sécur (ce qui n'était pas le cas). On m'a demandé aussi si j'avais déjà menti aux autorités, ce que j'ai bien sûr avoué. On ne passe pas une vie en prison ou avec la police sur le dos sans mentir. On m'a ensuite demandé si j'avais commis des actes illégaux pour lesquels je ne m'étais jamais fait prendre et une longue liste est sortie de ma mémoire. Ces messieurs n'en revenaient pas. L'officier de la Sûreté du Québec responsable du test m'a dit que je l'avais réussi avec une note maximale, soit le score parfait.

Un contrat avec la justice

C'est seulement après ces démarches que le contrat avec les autorités put être signé. On m'a emmené à la prison de la rue Parthenais, devant un représentant du ministère de la Justice, deux membres de la Sécurité publique et deux de la police de la Communauté urbaine de Montréal. Il y avait aussi le procureur de la Couronne, substitut du procureur général. J'ai refusé de témoigner dans certaines causes, comme l'affaire du tunnel. On m'avait appelé à la prison de Sherbrooke pour me le demander, et j'avais dit non. La seule cause dans laquelle j'ai accepté de témoigner était celle du fourgon blindé de Sécur.

Le contrat avait son importance, bien sûr, puisqu'il constituait la garantie d'un éventuel élargissement, mais, à mon avis, il n'était pas primordial, et le ministère de la Justice aurait pu tout aussi bien le chiffonner et le jeter au panier, car, de toute façon, j'avais l'intention de témoigner. Ce qui était important, c'était la parole que j'avais donnée à des officiers de police, comme les sergents-détectives Gilles Bergeron et Robert Derôme, de la Division des crimes majeurs de la police de la Communauté urbaine de Montréal. Je n'avais pas le choix. Le contrat m'avait été imposé, car la loi l'exigeait. Un officier supérieur de la police de la Communauté urbaine de Montréal, actuellement à la retraite, me confiait récemment pourquoi les délateurs étaient les plus sûrs auxiliaires de la police.

« Au départ, personne ne veut être un *stool*. Une fidélité au milieu, une camaraderie d'armes semblent cohabiter, m'expliquait-il. Il s'agit malheureusement d'un leurre. Déjà, dans le monde des paisibles citoyens et citoyennes, dans les secteurs des affaires, de l'industrie, des forces armées, des professions libérales, de la fonction publique, de l'université, les couteaux volent bas et les morpions sont légion. Presque tout le monde connaît un salopard de service qui vole une promotion à un collègue, s'approprie le travail de quelqu'un d'autre ou, par un habile travail de langue sale, discrédite son voisin pour se mettre en valeur. Dans le monde criminel, les choses se compliquent.

« Dans le milieu, poursuivait-il, s'il existe des gens non dénués de qualités humaines, voire de grandeur d'âme, il en existe aussi qui sont des cas psychiatriques, ou encore des êtres pourris jusqu'à la moelle, sans scrupules, qui vendraient leur propre mère à crédit ou trancheraient la gorge de leur enfant pour 10 piastres. Il est inévitable qu'un jour ou l'autre ces tordus finissent par trahir l'amitié d'un complice un peu idéaliste qui croit à la solidarité des durs, ne serait-ce que pour être en opposition avec les manigances feutrées qui ont cours dans le monde des “caves”, des gens sans histoire. Malheureusement, dans la vie quotidienne, les gangsters au grand cœur sont plus rares que dans les films et les romans policiers, et le malfaiteur *straight*, “réglo”, qui se fait avoir ou menacer par un compagnon de mauvais coup en qui il avait confiance n'a d'autre choix que de se venger. La nature des activités auxquelles vous vous livrez ainsi que la multiplicité des personnages déviants qui évoluent dans le monde interlope faussent le jeu. Là où la plupart des citoyens règlent leurs litiges à l'aide de mises en demeure, de poursuites judiciaires ou, au pire, de coups de poing sur la gueule, le gars du milieu fait parler les mitraillettes et les explosifs ou encore se met à table. Et cela fait parfaitement notre affaire. On fait notre boulot. Faut pas nous en vouloir... »

Je ne pouvais, malheureusement, que lui donner raison.

PAS DE CADEAU POUR LE DÉLATEUR...

Aux policiers, j'avais surtout demandé à être protégé, à changer de nom. Celui de Talon est trop peu courant. Les Talon répertoriés dans l'annuaire téléphonique de Montréal se comptent sur les doigts des deux mains. Je demandais simplement qu'on m'envoie, après ma libération, dans une autre province, où il me serait possible de me faire oublier. Je ne comptais pas sur le gouvernement pour qu'il m'accorde une pension à vie, mais simplement la possibilité de gagner honorablement ma croûte, peut-être dans ma spécialité, l'électronique.

La protection de la police laissait beaucoup à désirer. J'avais demandé au moins une vingtaine de fois aux autorités de déménager ma famille en lieu sûr. Personne dans la lourde machine de l'État ne semblait en mesure de me protéger. On me promettait une nouvelle identité, soit, mais il me fallait aussi de nouveaux papiers certifiant mes qualifications professionnelles et me permettant donc de travailler. C'était trop demander à la machine administrative, où le bras droit ignore ce que fait le gauche et, parfois, s'ingénie à lui faire du tort pour conserver sa parcelle de pouvoir.

Pensez-vous qu'après entente avec le ministère de la Justice celui de l'Éducation serait capable de me délivrer des papiers certifiant ma scolarité, mais sous un nom différent du mien ? Cela semblait irréalisable, et pourtant... Me voyez-vous en train de remplir une demande d'emploi et présenter mon diplôme de formation technique obtenu en prison ? Bref, les promesses ressemblaient à celles des politiciens. C'est ainsi qu'après l'entente une puissante organisation criminelle approcha ma fille Chantal et lui demanda de me passer un message : « Dis à ton père qu'on n'a rien contre lui... » Si elle n'avait rien contre moi, pourquoi avait-elle besoin de me le faire savoir ? J'ai compris l'avertissement.

Restait à comparaître devant le tribunal. Les trois jours clés de l'enquête préliminaire s'échelonnèrent du 11 au 13 juillet 1994, un an après l'affaire du fourgon blindé de Sécur. Je comparaissais devant le juge Gilles Cadieux, de la Cour du Québec (Chambre criminelle et pénale), et Me Jacques Dagenais, procureur de la Couronne, dont j'étais le principal témoin. Mes Martin Tremblay et François Quirion représentaient respectivement mes anciens complices, Sourire et Normand.

Le poids des vieux péchés

Leur mission était, bien sûr, de défendre leurs clients qui, par mon témoignage, se trouvaient sur la sellette. Ils le firent avec l'énergie du désespoir, souvent maladroitement, en dérapant dans des considérations sans rapport avec l'affaire, ce qui força la Cour à les rappeler plusieurs fois à l'ordre. L'avocat qui déploya le plus d'efforts pour anéantir mon témoignage fut sans contredit Me Tremblay. Il mit tout en œuvre pour nier les actes imputés à son client et pour m'attaquer de biais, afin de miner ma crédibilité. Son argumentation s'effondra d'autant mieux que, dès qu'il était à court d'arguments, il manifestait une agressivité gratuite et peu commune envers le tribunal.

Son argumentation principale s'articulait autour du fait que, dans ma déclaration de 110 pages, j'avais omis de parler des meurtres par voitures piégées dont l'infortuné Roland Quintal, contremaître à la Stelco, et le banquier Pierre Marcoux avaient fait les frais[1]. Sur le plan juridique, ces vieux péchés tant regrettés n'aggravaient pas mon cas puisque j'étais déjà incarcéré et que je n'étais jugé que pour l'affaire du fourgon blindé de Sécur. La vérité est que je n'avais pas tant cherché à dissimuler ces méfaits qu'à les enfouir dans les replis de ma conscience, pour l'amour de mes enfants.

Grâce à mes révélations, la police allait épargner beaucoup d'argent et d'efforts pour résoudre plusieurs affaires. Ces deux forfaits n'ajoutaient rien au dossier. C'est peut-être pourquoi je les avais inconsciemment oubliés. Sans doute aussi pour me leurrer moi-même et couvrir mes remords. Informé par Sourire, qui savait beaucoup de choses sur mon passé criminel pour y avoir été maintes fois mêlé, Me Tremblay tentait de tirer plus ou moins habilement profit de ces omissions. Le comble, c'est que c'était Sourire, *stoolie* à son tour, qui m'avait fourni les explosifs dans ces deux affaires et que c'était Denis, son meilleur ami, qui était complice de mes deux meurtres ! L'avocat faisait des effets de toge. Comment pouvait-on croire ce Talon, un homme qui passait sous silence deux crimes aussi effroyables, commis contre d'innocents citoyens, dont un père de famille ? Il ne cessa de marteler ce clou avec obstination.

Ma fille dans le collimateur

M. Boisvert, un des sergents-détectives qui m'avaient interrogé, me demanda si ces accusations étaient fondées. J'admis avec réticence que c'était exact, mais j'hésitais à revivre les péripéties de ces deux tristes affaires dont je n'étais pas fier. Je craignais que toute cette boue ne rejaillisse sur

1. Meurtres commis, rappelons-le, le 21 avril 1978 et le 8 juillet 1986, dans des circonstances que j'ai précédemment décrites.

mes enfants. Le lendemain, je me suis isolé avec M. Boisvert et lui ai fait part de mon désir de parler d'abord avec ma fille. Si je devais admettre quoi que ce soit, je tenais à ce que ma fille soit présente, ce qui me fut accordé.

– Ton père a déjà été un assassin. Il a commis deux meurtres, ai-je avoué à ma petite Chantal devant Boisvert. Si tu ne veux pas que j'en parle, on n'en parlera pas...

– Ta gueule ! m'a-t-elle répliqué en oubliant un instant le respect et l'affection qu'elle me portait habituellement.

Il ne faut pas oublier que nous étions assis devant un policier...

– Chérie, ça va sortir dans les journaux, parce que Me Tremblay a relevé que ces meurtres n'apparaissaient pas dans la transcription de mon interrogatoire. Tout Montréal va bientôt être au courant...

– Je m'en fiche. Ça n'a aucune importance, s'est-elle contentée de répondre.

Si ma fille avait dit : « Non, papa, je ne veux pas que ça paraisse dans les journaux », je n'aurais pas témoigné. Comme je l'ai déclaré à l'avocat Tremblay, qui évidemment en doutait : « Oui, je suis capable de le faire. Monsieur Tremblay, je suis peut-être un délateur, mais j'en ai encore deux bien pendues... » J'ai donc avoué que j'étais impliqué dans ces meurtres, sans fournir de détails susceptibles de faire condamner mes complices dans ces affaires. Je refusais simplement d'élaborer. Tartiner sur ces vieilles histoires ne ramenait pas les morts et ne faisait guère avancer mon lourd dossier.

Me Tremblay a tenté sans succès de m'empêtrer dans des questions de procédure, puis a mis en doute la réputation de ma fille en insinuant qu'elle m'avait vu mettre au point la mallette piégée que nous devions attacher au poignet du président de Sécur et qu'elle était donc au courant de mes coups. Les techniques de salissage de l'avocat manquaient de classe et m'exaspéraient, d'autant plus qu'au cours de 35 ans d'activités criminelles, je m'étais toujours efforcé de tenir mes enfants en dehors du monde dangereux où j'évoluais. Je le lui fis d'ailleurs savoir.

– Vous êtes en train de dire à la Cour que ma fille fait partie du milieu criminel... Ça n'a aucune espèce de bon sens et votre tactique est dégueulasse, lui ai-je dit en substance.

L'histoire de la valise ne tenait pas debout. Ma fille aurait d'ailleurs été incapable de distinguer un transistor d'un bigoudi et je n'étais pas assez « gnochon » pour étaler ma quincaillerie électronique devant mes enfants qui, comme tous les jeunes, pouvaient aller se vanter d'avoir un père qui installait plein de fils électriques et de systèmes d'horlogerie dans des attachés-cases truqués... En fait, la seule fois que Chantal avait entendu parler de la mallette était lorsque Sourire, que Me Tremblay défendait avec un si bel acharnement, avait fait irruption, tôt le matin, chez ma fille, s'était introduit dans sa chambre et lui avait demandé en gueulant où se trouvait l'engin, qu'il avait sans doute l'intention d'utiliser à son seul profit. Lorsque mes autres enfants apprirent ce qui s'était passé, ils se mirent à pleurer. On l'a vu, cet acte inexcusable avait pesé lourd dans ma décision de devenir délateur.

Voyant qu'il avait touché une corde sensible, Me Tremblay, qui avait eu accès au texte d'une écoute électronique effectuée par les policiers chez ma fille pour piéger Sourire, promit des révélations troublantes prouvant que Chantal, qui désirait ouvrir un petit commerce de mercerie, m'avait demandé « comment frauder le fisc ». Ces prétendues révélations prouvèrent que je m'étais contenté de lui donner les conseils que tout bon père de famille donnerait à un enfant désirant se lancer en affaires, par exemple engager un bon comptable, constituer son commerce en société, etc. Dépité, Me Tremblay décida de faire flèche de tout bois, tenta de me confondre sur des questions techniques auxquelles il ne comprenait rien, sur d'infimes variantes existant dans deux témoignages, sur la précision des dates dont je n'étais pas certain.

Une orchestration d'insignifiances

Parfois à court d'arguments, lorsque sa stratégie foirait, Me Tremblay insinuait que l'avocat de la Couronne, Me Jacques Dagenais, m'avait incité à tromper la Cour. Il l'accusa même carrément d'avoir menti, ce qui constitue un crime majeur pour un magistrat. Au deuxième jour de l'enquête préliminaire, le 12 juillet 1994, dans la salle 4.02 du palais de justice de Montréal, l'atmosphère devint explosive. Me Dagenais bondit en accusant à son tour son confrère d'employer des tactiques obscurantistes, vieilles de plusieurs décennies, du temps où il suffisait à certains criminalistes d'être effrontés et gueulards pour confondre un populo docile et peu instruit. Il a ajouté qu'il se souviendrait de lui. Je suis persuadé que ce n'étaient pas des mots en l'air, d'autant plus que Me Tremblay n'étaya jamais ces graves accusations. Questionné par les journalistes, il se contenta de dire « qu'il n'y avait plus de problèmes », sans un mot d'excuse pour son confrère. Il persistait et signait dans son obstination à me perdre, sans s'apercevoir que cet acharnement non seulement le desservait, mais desservait aussi le monde policier et le monde judiciaire. J'en eus la confirmation plus tard.

Pour sa part, Me François Quirion tenta de me confondre en jouant à l'armurier. Il parvint à extraire de ma déclaration de 110 pages une réponse où je disais que, lors du hold-up de Sécur, Normand, qui surveillait le bureau de poste, avait en bandoulière une « 308 », alors que devant le tribunal je parlais d'un AK-47. J'avais mentionné cette arme de manière spontanée. Après tout, l'interrogatoire avait duré six heures. Au meilleur de ma connaissance, mon complice tenait un fusil-mitrailleur AK-47, mais j'avais mentionné la 308 sans trop y penser. L'avocat insista sur ce détail avec un entêtement maladif, en ergotant sur la marque de fabrique des armes qui étaient toutes deux semi-automatiques. Étant un expert en explosifs et non en armes, j'ai répliqué que de toute façon nous possédions tout un arsenal, par exemple des AK-47 fabriqués en Chine et en République tchèque, un Taurus ou Beretta brésilien. Le motorisé Southwind était plein de *guns* de différentes provenances. Ainsi, même si mon pistolet était un Taurus, je n'aurais pas menti en disant que c'était un Beretta. L'objectif était tout simplement de me faire passer pour un menteur. Le chat est sorti du sac lorsqu'il m'a demandé :

– Monsieur Talon, depuis deux jours, quelles autres parties de votre témoignage constituent des « réponses spontanées » qui ne représentent peut-être pas la vérité ?

J'ai rétorqué que cette insistance était ridicule puisque, de toute façon, Normand était muni d'une arme semi-automatique semblable à celle que j'avais mentionnée. La vérité était que l'avocat Quirion aurait voulu pouvoir prouver que son client faisait innocemment du tourisme aux portes du bureau de poste et qu'il tenait en main un cornet de crème glacée au lieu d'un fusil-mitrailleur. Je dus certes décevoir ce défenseur de la veuve et de l'orphelin.

Voyant que cet acharnement sur un détail insignifiant ne donnait guère de résultat, il est revenu sur l'interrogatoire au cours duquel j'avais omis de mentionner les deux meurtres à la bombe, qui me taraudaient toujours la conscience et qui avaient été plus qu'abondamment examinés par Me Tremblay. Il m'a ensuite demandé comment je pouvais m'assurer qu'il n'y aurait pas mort d'homme dans l'affaire de la Mercedes piégée. Il m'a fallu lui expliquer que, même dans le milieu, il existait un code de déontologie sommaire.

– Qu'auriez-vous fait si on ne vous avait pas donné de garanties ? me demanda-t-il.

– Si les garanties n'avaient pas été satisfaisantes, je n'aurais simplement pas fabriqué la bombe, ai-je répliqué.

Il a ensuite tenté de prouver que j'étais irresponsable d'avoir confié ladite bombe à un individu peu fiable. Je lui ai fourni tous les arguments techniques qui prouvaient le contraire puisque, en fin de compte, tout s'était bien passé grâce au dispositif de sécurité que j'avais imaginé. Voyant qu'il perdait pied, il a ensuite frappé sur un autre clou insignifiant en me demandant si la bombe qui avait fait sauter la porte arrière du fourgon de Sécur était du type magnétique ou autocollant. En vérité, cela n'avait aucune espèce d'importance, car j'avais fabriqué environ huit bombes et je ne me souvenais plus de ce détail. Tout comme son confrère, il ne cessait de comparer mes déclarations, livrées sous pression à des personnes plutôt pressées. Et puis, je n'avais pas relu les centaines et les centaines de pages où étaient consignés tous les interrogatoires, je n'avais pas lu tous les factums pour m'assurer que mes réponses seraient bien peaufinées. Je n'étais pas expert en droit. Les juristes font des lois, les voleurs les transgressent, et c'est de cela que je devais répondre. Dans le feu de l'action, il pouvait bien y avoir quelques différences...

Me Quirion m'a demandé ensuite pourquoi j'avais tant insisté pour témoigner dans l'affaire du fourgon blindé de Sécur et non, par exemple, dans l'affaire du tunnel de la Banque de Montréal. Je lui ai expliqué que je ne tenais pas à témoigner contre Richard, notre chauffeur de « bureau mobile », qui ne s'en était pas mal tiré en 1990. Dans l'affaire du fourgon, à mes yeux, Richard était peut-être complice après le fait, mais certainement pas un criminel. Je l'avais toujours considéré comme un gentleman. Nous l'avions en fait entraîné dans cette affaire. Il s'agissait d'un brave gars qui, dans le fond, pensait avoir gagné à la 6/49 de Loto-Québec. Bien des braves gens se seraient laissé entraîner dans un coup semblable si on leur avait promis que les gains qu'ils pouvaient escompter leur permettraient de régler leurs dettes ou d'assurer leur retraite.

L'avocat pédale dans la poutine

À un moment donné, la poursuite a été obligée de faire remarquer à Me Quirion qu'il argumentait avec le témoin, ce qui n'était pas son rôle. Il s'est alors lancé dans une autre lubie : les pseudonymes que j'avais utilisés au cours de ma carrière : Réal Brunet, Claude Lambert, et j'en passe. Il découvrait le monde autour de lui. Il semblait ignorer que le milieu fourmille d'alias et voulait savoir si j'avais subi des procès sous mes noms d'emprunt. Cette piste ne débouchait nulle part et la démarche était insultante pour les policiers qui connaissent fort bien les « pseudos » de leur clientèle. « Prenez l'annuaire téléphonique de Montréal ; vous y verrez un nombre de pseudonymes possibles... », ai-je dit. Là encore, ce fut pour lui comme une révélation.

Il passa à autre chose, comme le fait que j'avais consulté un psychiatre en taule en 1959. Il déterra aussi une fausse tentative de suicide dont le but était de jouer un sale tour à ma femme qui m'avait poussé à bout. Il tentait maintenant de me faire passer pour fou. L'avocat de Normand pédalait de plus en plus dans la poutine et ça n'avançait pas vite. C'est alors qu'il eut l'idée de jouer du violon pour les âmes sensibles. « Avez-vous demandé à voir les corps déchiquetés de vos deux victimes, monsieur Talon ? » me demanda-t-il à brûle-pourpoint. Là, il dépassait les bornes, tombait dans le mélo et voulait me montrer sous un jour de brute sanguinaire.

La poursuite le rappela à l'ordre en lui signifiant que de telles questions étaient vexatoires, ce qu'il aurait dû apprendre à l'université. Il est revenu ensuite à l'omission des meurtres à la bombe de 1978 et de 1986, un sujet usé jusqu'à la corde par son collègue, puis il s'est embrouillé. *Exit* le maître. Sans succès, lui et son confrère Tremblay avaient joué les pit-bulls. Leur dernière trouvaille avait été, au procès, de demander au juge l'arrêt des procédures « faute de preuves suffisantes pour inculper leurs clients ». Leur argumentation s'appuyait sur le fait qu'ils avaient relevé certaines contradictions entre les déclarations que j'avais faites aux policiers et celles que j'avais faites devant le tribunal. Ils exigeaient la mise en liberté de Sourire et de Normand – rien que ça –, malgré le fait que l'on ait retrouvé leurs voitures respectives près de la mienne et de celle de Gordie, sur les lieux du crime. Mais, là encore, sans doute faisaient-ils du tourisme dans un parc industriel ce matin-là... Sourire et Normand plaidèrent tous deux l'alibi. Sourire prétendit avoir été à l'hôpital le jour du hold-up et Normand soutint qu'il était parti « sur une brosse », et qu'il ne se souvenait plus de rien – deux alibis qui ne tenaient pas la mer.

Le juge Gilles Cadieux, qui présidait l'enquête, dut faire preuve d'une grande retenue. Il conclut que les éléments de preuve présentés par Me Dagenais étaient suffisamment solides pour éventuellement convaincre un jury de la culpabilité des accusés. Il expliqua à Mes Tremblay et Quirion que les contradictions qu'ils dénonçaient avec tant de véhémence étaient somme toute mineures et que ce serait l'inexistence de telles contradictions qui serait étonnante. Après tout, j'avais vidé mon sac pendant plusieurs heures devant des policiers et ma déclaration initiale comportait 110 pages de texte particulièrement difficile à lire puisque le ou la secrétaire avait cru bon de la transcrire exagérément « au son ». Ce morceau de bravoure ressemblait à un long poème de Raoul Duguay dans le style de « Tu seul aa'k toulmonde », mais nous n'étions pas rue Saint-Denis dans les folles années soixante-dix. Cela donnait des phrases comme : « Un gars s'trompe de numéro pis ça y saute dans a' face », ou encore « La roulotte ça c'est toé qui va mett' a' bombe en d'sour ». S'il était correct de conserver les mots argotiques en joual que flics et truands emploient au Québec, il y avait moyen de s'exprimer tout de même en français universel. C'est ce qu'avaient fait les sténographes officiels qui ont retapé ou fait retaper les textes de l'enquête préliminaire. Pourquoi pas les autres ? Pas étonnant que l'envie de relire ces notes m'ait fait défaut.

– Il n'y a pas eu de véritables contradictions, a conclu le juge Cadieux. Le témoignage de M. Talon concorde avec celui des victimes. Le témoignage d'un témoin délateur doit être examiné avec beaucoup de soin, mais je ne suis pas prêt à dire qu'il n'a aucune crédibilité. Son témoignage a été corroboré par d'autres éléments de preuve.

Au royaume de la réadaptation

Et voilà. Le juge Kevin Downs, de la Cour supérieure, condamna Sourire et Normand à 18 ans de prison, le 22 juin 1995. Gordie avait récolté 12 ans et Richard, 5 ans. Pour ma part, j'ai écopé de sept ans, mais, pour mes bons et loyaux services envers la société, on a passé l'éponge. J'ai obtenu une nouvelle identité et me suis retrouvé en liberté. Toutefois, je tourne à vide, car je ne vois plus guère quelle orientation donner à ma vie et demeure en quelque sorte livré à moi-même.

Enlisés dans le marasme économique, s'autoflagellant pour les rêves de grandeur passée de quelques politicards démagogues, versant des larmes de crocodile sur les magouilles et le favoritisme qui ont enrichi les amis de ces mêmes politiciens, tous les paliers de gouvernement restreignent les dépenses qu'ils jugent ne pas être essentielles. Les administrations ont d'autres préoccupations que la réinsertion des ex-détenus. Je suis très conscient que les cas de mon espèce ne constituent qu'un microcosme lorsqu'on considère les problèmes que la faillite du système fait surgir. Au temps de la marine à voile, quand le navire coulait, les marins aux fers dans les cales n'avaient qu'une importance toute relative. Le plus souvent, on les oubliait et ils périssaient. Il me faut composer avec cette loi du naufrage.

Je m'explique. Après une existence moins qu'exemplaire, j'ai jugé qu'il était temps de faire amende honorable et, au risque de ma vie, de rentrer dans le droit chemin. Peut-être aussi que quelque puissance supérieure m'a poussé à réfléchir sur ma condition. Face à mes frères humains, je ne demandais pas grand-chose, en somme simplement changer d'identité, travailler comme tout le monde, pratiquer mon métier en faisant bénéficier les autres de mes connaissances, me faire oublier. Je ne suis pas l'un de ces larrons irrécupérables au crâne épais. Je suis un technicien en électronique qualifié et j'ai poursuivi des études en mathématiques jusqu'à la maîtrise. Les policiers m'ont souvent dit qu'à ma naissance j'avais oublié d'être « tarla » et je leur en sais gré. En effet, je pense avoir prouvé que je n'étais pas trop con dans les circonstances. Cela dit, je ne me suis jamais pris pour un autre. Restait à recycler mes aptitudes.

Lorsqu'on ne vous fournit pas les outils pour recommencer à neuf, c'est là que les problèmes commencent. Mettez-vous à la place des employés d'un service du personnel (on parle maintenant de « ressources humaines », comme on parle de « ressources matérielles », ce qui en dit long sur le mépris dans lequel on tient les quémandeurs – pardon, les demandeurs – d'emploi qui, après avoir fait les frais d'une certaine exploitation, librement consentie, font ceux de l'exclusion). La personne diplômée en relations industrielles qui examine mon C.V. est loin d'accepter avec sérénité le fait que j'ai déjà mis au point des dispositifs explosifs pas mal efficaces, des détecteurs de mouvements et autres gadgets avec des moyens dérisoires, dans des ateliers de fortune. Et que dire de mes connaissances plutôt exhaustives des systèmes d'alarme ? N'ai-je pas, après tout, été propriétaire d'une entreprise qui les installait ? Oui, mais il y a toutes ces années de prison, ce diplôme obtenu à l'abri des grilles... Alors, on estime que mon expérience ne pèse pas lourd en tel cas.

Les grandes entreprises, nous l'avons vu, sont prêtes à se montrer « politiquement correctes », selon les canons de ce nouveau puritanisme nord-américain, prêtes à afficher publiquement qu'elles ne pratiquent aucune discrimination à l'endroit des femmes, des minorités ethniques, des personnes handicapées, des gais, des autochtones, etc. Bravo ! Elles défendent les droits des non-fumeurs sur les lieux de travail, stigmatisent les gens qui n'utilisent pas les transports en commun, soutiennent la protection des espèces en danger, de la baleine à bosse à la grue toussoteuse d'Amérique. Encore bravo ! Pour ces conglomérats, ces gestes « dans le vent » sont relativement faciles et peu coûteux. Et puis, cela projette une sacrée bonne image publique. Tout le monde étant en faveur de la vertu, qui serait assez fasciste pour s'opposer à l'intégration au travail des femmes, des personnes handicapées, des autochtones ou pour afficher son animosité envers les minorités, visibles ou non ?

Ces entreprises sont malheureusement moins enclines à se préoccuper de l'intégration d'une minorité pas très visible, celle des ex-délinquants. Elles n'ont pas de temps à perdre, et le sujet lui-même apporte peu au chapitre des relations publiques. À Montréal, il existe un organisme caritatif bien connu, le YMCA, qui obtient des résultats intéressants en plaçant d'ex-détenus souvent peu scolarisés dans de petits emplois, au sein de micro-entreprises. Ses animateurs remarquent que les manufacturiers et commerçants de taille modeste sont plus sensibles que les autres entrepreneurs aux problèmes de réinsertion de ce type de clientèle et prêts à leur donner une chance. Mais lorsque l'ex-détenu possède, comme dans mon cas, des qualifications plus poussées, qui seraient utiles à la grande industrie, il se trouve davantage marginalisé. Il n'y a pas de sots métiers, dit-on, mais si mon avenir se borne à passer la vadrouille, non merci ! Comme tout ex-taulard, j'ai amplement pratiqué cette activité en prison...

Les sociétés importantes n'ont rien à faire d'un technicien déjà âgé alors qu'elles peuvent employer, pour un peu plus que le salaire minimum et selon des conditions précaires, de jeunes diplômés d'université qu'elles pourront remercier sans préavis. Elles peuvent également faire travailler des gens du tiers-monde pour une misère et revendre très cher le produit de leur travail à la partie de la population qui se trouve encore capable de payer. L'ex-détenu est exclu des plans de production du grand capital. Comme ces juges guillotineurs qui sévissaient en France il n'y a pas si longtemps, ces vachers de l'or aiment répéter : « Que Messieurs les criminels commencent... » Ils se disent aussi : « Un ancien bandit dans notre entreprise ? Ho là ! C'est le loup dans la bergerie. Chaque fois qu'un tournevis s'égarera, qu'un rouleau de papier hygiénique disparaîtra, nous saurons où regarder... »

J'ai précédemment parlé de l'inertie des ministères, qui refusent de collaborer entre eux pour nous fournir de nouveaux papiers conformes à notre nouvelle identité. « C'est pas joli de faire de faux papiers, moralisent les fonctionnaires. C'est tout juste bon pour la police et les services secrets... » Certains lecteurs bien intentionnés seront tentés de dire : « Et puisque vous êtes si malin, pourquoi ne vous lancez-vous pas en affaires, surtout avec votre expérience ? » Je les remercie d'avance. Le petit commerce, je connais, mais tout entrepreneur sans capital vous expliquera qu'il ne peut démarrer qu'avec l'aide des institutions financières. On voit d'ici la scène où Marcel Talon se pointe à la banque.

– Bonjour, monsieur le banquier. J'aurais besoin d'un prêt de tant de dollars, dans les cinq chiffres, pour mettre sur pied une entreprise d'électronique...

– Intéressant, monsieur Talon. Et quelles sont vos références ? vos projections marketing ? les garanties que vous êtes en mesure de nous offrir ? Vous avez un plan d'affaires ?

Pour la planification, pas de problème. Pour les garanties, oublions ça. Restent les références : un casier judiciaire et, peut-être, de bonnes recommandations de la part de la police.

– Eh oui ! Monsieur le banquier. Vous savez, le coup du tunnel de la Banque de Montréal, j'y étais... Et puis, je n'ai pas mon pareil pour vous bricoler de petits engins qui, d'ailleurs, intéressent les policiers au plus haut point. Je leur ai même donné des conseils et des trucs pour le désamorçage de bombes...

Monsieur le banquier pâlit, déglutit avec effort, avale de travers, s'étouffe, a presque une attaque d'apoplexie, agite les bras, me fait signe de prendre la porte. Si je reste dans son bureau deux minutes de plus, il va falloir appeler une ambulance et on va m'accuser de tentative de meurtre.

On dira que je dramatise, que je caricature. Hélas ! dans l'état actuel de la situation, c'est à peu près ce qui se passe. Rien ne prépare le représentant d'une banque à une telle situation. Marginal j'étais, marginal je suis, marginal je reste. On me dira que j'ai droit à l'aide sociale. D'accord. Je peux également faire de petits boulots « au noir », donc dans l'illégalité. Quelques centaines de dollars par mois. Juste assez pour ne pas crever. On ne reconstruit pas une existence là-dessus. J'entends déjà les bien-pensants : « Mais qu'espère-t-il donc ce repris de justice ? Une situation à 100 000 $ par année ? » Faut pas charrier. Je rêve seulement d'un emploi convenable ou de la possibilité de lancer ma petite affaire, avec l'aide des autorités. Si je ne respecte pas les termes de mon contrat, c'est ma liberté qui est en jeu. Je rappelle que, d'après les statistiques, un prisonnier coûte au-dessus de 65 000 $ par année au trésor public s'il est incarcéré dans une institution pénitentiaire fédérale et 45 000 $ s'il s'agit d'une institution provinciale. On me dit que ces chiffres, qui représentent des salaires de cadres, sont d'ailleurs à la hausse. Qu'arrive-t-il lorsque des ex-détenus replongent dans le crime ? Ils payent une fois de plus leur dette à la société, mais c'est finalement la collectivité qui puise dans son portefeuille dégarni pour financer des institutions pénales non productives. Il y a sans nul doute quelque chose de pourri au royaume de la réadaptation.

La vie est une culotte...

Je ne voudrais pas idéaliser les États-Unis, mais les différentes instances policières américaines protègent beaucoup mieux les délinquants qui collaborent avec elles qu'on peut le faire chez nous. On donne aux criminels repentis la possibilité de repartir sur des bases plus saines. Je pense à ce non-violent, l'arnaqueur Frank W. Abagnale, qui, en cinq ans, après s'être fait passer pour pilote de ligne, pédiatre, avocat et professeur d'université, parvint à frauder les banques pour une somme de 2,5 millions de dollars, et à tout dépenser dans une folle équipée autour du monde, avec l'Interpol à ses trousses.

Il fut pris, conclut une entente avec le ministère de la Justice, fut condamné, purgea une peine réduite, s'installa à Houston, au Texas, où il pratiqua plusieurs petits métiers, en butte aux mêmes préjugés que ceux que je connais trop bien. Employé pourtant exemplaire, on le congédiait avec régularité aussitôt qu'on apprenait ses antécédents. Avec l'aide d'un banquier assez progressiste qui, c'était de bonne guerre, ne négligea pas ses intérêts, il fonda une entreprise, qui devint florissante, spécialisée dans la prévention des crimes de nature commerciale ou industrielle. Les motivations d'Abagnale n'ont pas changé ; il n'a fait que recycler les aptitudes qu'il avait toujours possédées, car on lui en a donné la possibilité. « Si je ne faisais pas ce que je fais aujourd'hui, si j'étais resté cuisinier dans une *pizzeria,* commis d'épicerie ou projectionniste, je serais probablement de nouveau derrière les grilles, explique volontiers l'ancien arnaqueur. Pourquoi ? Parce que dans ces occupations, je n'aurais rien trouvé de bien reluisant pour combler ma soif d'aventures ou satisfaire mon vrai moi[1]... » Tout compte fait, comme le disait Elvis Gratton, l'inoubliable personnage du cinéaste Pierre Falardeau : « Ils l'ont, les Américains... »

On ne s'étonnera pas de me voir parfois regretter, lorsque je regarde en arrière, ma décision de devenir délateur. J'ai rempli ma part du marché. C'est moins évident du côté des autorités, et je le déplore. On me demandera peut-être quelle alternative s'offrait à moi. Si j'avais refusé de collaborer, j'aurais pu, par exemple, la boucler, purger ma peine sans histoire, puis régler discrètement mes comptes avec ceux qui

1. Frank W. Abagnale. *J'avais des ailes, mais je n'étais pas un ange,* Montréal, Éditions Stanké, 1981, p. 267.

planifiaient de me faire la peau. Comme on le dit en anglais, « *There are ways...* », et je me serais débrouillé pour ne pas me faire pincer. Je serais peut-être revenu à la case départ, mais cela aurait-il été plus terrible que la menace qui pèse constamment sur moi, avec le peu de possibilités de repartir à zéro ? Il est très difficile, après avoir décidé de changer de vie, de constater que la collectivité se désintéresse de votre sort. Non, il n'y a pas de cadeau pour le délateur.

« Dans de telles circonstances, Talon va-t-il replonger ? » demanderont les pessimistes. Marcel Talon a heureusement sa famille, qu'il aime par-dessus tout. De plus, il a donné sa parole, sa parole d'homme, à des policiers qui lui ont fait confiance, comme les sergents-détectives Gilles Bergero et Robert Derôme, de la police de la CUM, et il tient à ne pas les décevoir. Mais Marcel Talon a des doutes et il ne peut envisager l'avenir avec sérénité si une administration sclérosée ne lui donne pas la chance de prendre un nouvel envol. Il n'a que 56 ans, a plein d'idées et peut être encore utile à cette société qui recycle les vieux politicos (même ceux qui ont beaucoup à se faire pardonner) dans des postes du genre « délégué aux affaires inutiles à l'Unesco ». Mais elle ne recycle pas les gars dans mon genre, même s'ils ont vidé leur sac et qu'ils ont du potentiel. Elle leur demande d'aller crever ailleurs. À ce tarif-là, les délateurs risquent de se faire de plus en plus rares avec les années.

Pas étonnant que, lorsque je vois un fourgon blindé, mon imagination s'enflamme et que les souvenirs refluent. Je pense, malgré quelques ratés, aux records vraiment « olympiques » de nos braquages. Nous n'avons pas toujours eu de chance, mais, parfois, le petit Jésus et la police regardent ailleurs. Ce fut le cas pour les Français de Nice avec leurs 13 millions et pour nous avec le coup de l'avion blindé de Dorval. Pas vus, pas pris. Oui, un gars comme moi y pense, met dans la balance sa liberté, sa vie de famille, sa vie contre l'aventure où tout semble encore possible. Et on sera surpris que sa conscience le tenaille... Il faudrait être un sacré hypocrite pour ne pas l'admettre.

J'aimerais pouvoir dire en guise de conclusion que la vie est belle et que mes perspectives d'avenir sont bonnes, parce que les autorités ont fait le maximum pour m'empêcher de retomber dans l'ornière du crime. Malheureusement, j'ai le regret de dire que tel n'est pas le cas, du moins à l'heure où ces lignes sont imprimées.

Comme un funambule, je me retrouve sur le fil avec ma conscience, qui m'ordonne de continuer à lutter pour exorciser mes vieux démons et de tout faire pour m'en sortir. Aussi, lorsque mon imagination repart sur les chapeaux de roues, je soliloque : « Marcel, ce n'est pas bon pour ta santé ni pour celle des tiens. Attention aux vieux mythes du passé... » Un farceur a déjà dit que la vie était une culotte retenue par des bretelles d'espérance. Pour le moment, mes vieilles bretelles de police tiennent bon, mais je vais entreprendre de les teindre en vert, histoire de garder l'espérance vivace.

TABLE DES MATIÈRES

Ce volume a été achevé d'imprimer au Canada
en janvier 2004.

(IMP.1/ED.1)